GERAÇÃO Ý

SIDNEI OLIVEIRA

GERAÇÃO Y

O NASCIMENTO DE UMA NOVA VERSÃO DE LÍDERES

INTEGRARE
EDITORA

Publisher
Maurício Machado

Supervisora editorial
Luciana M. Tiba

Coordenação, arte e produção editorial
Crayon Editorial

Preparação de texto
Betina Lemos

Revisão
Marisa Rosa Teixeira
Évia Yasumaru

Capa
Alberto Mateus

Dados Internacionais de Catalogação na Publicação (CIP)
(Câmara Brasileira do Livro, SP, Brasil)

Oliveira, Sidnei
Geração Y : o nascimento de uma nova versão de líderes / Sidnei Oliveira. – São Paulo : Integrare Editora, 2010.

Bibliografia.
ISBN 978-85-99362-51-8

1. Administração de conflitos 2. Comportamento organizacional 3. Conflito de gerações 4. Jovens - Comportamento 5. Jovens - Trabalho 6. Liderança 7. Recursos humanos 8. Relações entre gerações 9. Relações interpessoais I. Título.

10-02746 CDD-650.13

Índices para catálogo sistemático:

1. Jovens : Relações interpessoais : Comportamento organizacional : Administração 650.13

Rua Tabapuã, 1123, 7º andar, conj. 71/74
CEP 04533-014 - São Paulo - SP - Brasil
Tel. (55) (11) 3562-8590
Visite nosso site: www.integrareeditora.com.br

SUMÁRIO

AGRADECIMENTOS

NADA MAIS gratificante que poder publicar um livro compartilhando a alegria com amigos tão especiais e que dedicaram um pouco de sua experiência para que este trabalho pudesse chegar até o leitor, a quem também dedico este livro.

Dedico e agradeço à minha amada família

À Walkiria, minha Linda companheira, que revisou, criticou, elogiou, relembrou, avaliou e acompanhou este trabalho desde a primeira página sempre com palavras de incentivo e um sorriso carinhoso no rosto, me deram ânimo e persistência para seguir nessa trajetória.

À minha filha Amanda, uma perfeita representante da Geração Y, que me ajudou a estruturar todo o trabalho e ainda dedicou pacientemente vários momentos a incansáveis leituras dos esboços originais.

Ao meu filho Rodrigo, que com sua forma incomum de fazer escolhas, me permitiu conhecer inúmeras possibilidades de ver a Geração Y e me emprestou muitos exemplos que se transformaram nas histórias que ilustram este livro.

Ao meu irmão Josmeyr Oliveira e ao meu primo Nilton Alcântara, que são verdadeiros alicerces na construção deste livro. É um privilégio saber que, mais do que parentes, irmão e primo podem ser também verdadeiros amigos.

Dedico e agradeço aos meus amigos

Cesar Souza cuja trajetória de vida influenciou a minha própria trajetória. Esta inspiração não se compara à orientação que recebi para publicação deste livro e para o direcionamento de meu trabalho. Sou grato também pelo apoio e receptividade da equipe da Empreenda Consultoria – à Cristina Patsch e ao Milton Camargo, pela estruturação da estratégia sobre o tema; ao Delmas, por ser um companheiro experiente, dinâmico e incentivador; e também à Eliana, à Fernanda e ao Bruno por todo suporte que dão para meus projetos. Vocês são novos amigos que respeito e admiro.

Sofia Esteves a quem sempre serei grato por sua generosidade e incentivo. Com sua experiência, me apresentou a uma grande rede de relacionamentos e sua ações trouxeram estímulos em momentos decisivos.

Vicente Picarelli, cuja experiência é sempre muito inspiradora. O destino providenciou um jeito de nos aproximarmos novamente. A forma como acolheu minhas ideias e seus "toques" precisos estarão sempre em minha mente.

Eline Kullock, pelos incríveis papos virtuais e reais, quando a ideia de Geração Y ainda era apenas um tema estranho. Compartilhamos muitas fontes de referências e aprendi a respeitá-la como amiga e como profissional.

Pierre Schurmann, por compartilhar sempre de uma visão inovadora e por nunca deixar de dividir a energia e o entusiasmo que sustentam os sonhos mais inusitados e inspiradores.

Mauricio Machado, Luciana Tiba e equipe, que desde nosso primeiro encontro acreditaram no projeto. Trouxeram uma visão estratégica sobre o tema e forneceram orientações indispensáveis, que geram um profundo sentimento de orgulho em pertencer ao time de autores da Integrare Editora.

APRESENTAÇÃO

:: Sopro da vida

NUM MOMENTO QUALQUER de nossa existência, estaremos diante de íntimas avaliações sobre nossa vida. Mesmo que não sejamos estudiosos no assunto, em alguma circunstância teremos a nossa porção pessoal de filosofia.

A "condição humana" constantemente nos presenteia com momentos de reflexão, contudo não damos muita atenção a esses fantásticos e às vezes sutis momentos. Criamos uma consciência de proteção da realidade que promove uma ampla defesa para nós mesmos e conseguimos nos sentir confortáveis com o fato de não termos tempo para pensar em nossa vida, pois o ritmo dos acontecimentos é muito intenso.

Estudamos intensamente para arrumar um emprego melhor. Buscamos um emprego melhor para possuir mais coisas. Possuímos mais coisas para ter mais segurança. No final, lutamos para manter a segurança tentando não alterar a realidade alcançada. Assim, muitos vivem em constante frustração, pois a realidade insiste em manter sua trajetória de mudanças.

Para nos sentirmos mais seguros temos de fazer escolhas, e fazer escolhas nem sempre é simples. Aprendemos muito cedo que toda escolha provoca, também, algum tipo de perda. E a perda é uma das coisas mais difíceis de aceitar em nossa vida. Lutamos diariamente para manter as coisas que já alcançamos e vivemos de maneira ansiosa, sob o medo de perder tudo o que temos.

Apegamo-nos, com todas as nossas forças, a cada objeto, título, posse que alcançamos, e nos esquecemos de nossa existência rápida e temporária neste mundo.

Aquele que, em sua trajetória de vida, já teve a oportunidade de trazer para o mundo um novo ser foi presenteado com o privilégio único de experimentar a grandeza e a força da reflexão sobre o significado de sua própria existência, uma vez que é absolutamente natural depositar enormes expectativas pessoais na vida dos filhos.

O fator mais relevante de tudo isso é que, apesar de desejarmos e nos esforçarmos para criar nossos filhos protegidos de suas próprias escolhas, as novas gerações estão criando uma identidade nunca vista. Com uma incomum forma de gerar expectativas e realizar sonhos, elas estão alterando completamente os conceitos de autoconhecimento, autoestima e relacionamentos humanos.

Os modelos estruturados de sociedade, família, trabalho e até de felicidade estão sendo colocados em discussão, e já não se considera uma boa estratégia lutar a vida toda para tentar ser feliz somente quando a aposentadoria chegar.

A transgressão como ferramenta de inovação e a busca da satisfação imediata de seus sonhos são algumas das mais marcantes características dos jovens nos dias atuais, conhecidos como ***Geração Y***.

Nosso papel está se alterando rapidamente, e isso torna prioritária uma reflexão mais séria sobre as escolhas que devemos fazer hoje e as consequências que tais escolhas trarão para nós em um futuro muito próximo, a julgar pela velocidade crescente das mudanças.

Entender as novas gerações sempre foi um desafio para qualquer pessoa. O que torna este momento especial é o fato de termos mais gerações influenciando-se mutuamente.

O crescente aumento da expectativa de vida do ser humano, a redução da natalidade, a ampliação dos meios de conexão entre as pessoas e o aumento do acesso e da velocidade no fluxo das informações são fatores extremamente relevantes que criam um momento singular em toda a história conhecida da humanidade, pois nunca cinco gerações diferentes conviveram em uma mesma realidade.

Aliado a esses fatores está o ritmo frenético e absolutamente desgastante que nos impomos. Consumimos todas as nossas energias na busca de um momento de segurança, conforto e tranquilidade que nos permita refletir sobre nossas reais expectativas, em vez de direcionarmos nossas energias para a própria reflexão.

Ao cuidar de nossas expectativas pessoais sem nos dar a oportunidade de refletir genuinamente, afastamo-nos daquilo que realmente buscamos e acabamos por correr atrás de sonhos pasteurizados, comercializados em qualquer anúncio publicitário.

Os novos tempos parecem estar transformando a vida das pessoas, levando muitos a se questionar sobre o real significado de suas existências. Assim, ainda que nos apresentemos para o mundo como seres independentes e extremamente poderosos por causa de todas as nossas "conquistas", mantemos a fragilidade da vocação humana e nos rendemos à simples conclusão de que, se refletirmos com o coração, devemos apenas contemplar a vida em toda sua magnitude.

Contudo, essa simplicidade de reflexão deve ser resgatada para que possamos nos adaptar com mais serenidade aos momentos atuais, pois a vida nos fascina e nos movimenta. Nossas expectativas se alimentam da vida. Nada consegue deter essa força que um dia foi chamada de "sopro da vida".

PREFÁCIO

> *O líder é alguém que nos inspira a não "apequenar" a vida, o trabalho, a empresa, a comunidade, a nação, o mundo.*
>
> MARIO SERGIO CORTELLA

ESCREVER O PREFÁCIO deste livro me traz muito prazer e orgulho, já que considero de extrema relevância o tema abordado pelo autor – não só para os profissionais de recursos humanos, mas para todos que se propõem a refletir sobre o impacto da Geração Y no mercado de trabalho e no mundo como um todo.

Sidnei Oliveira identifica que esse impacto não é pequeno, muito menos passageiro. A leitura do livro permite reconhecer, por meio de exemplos reais e muito bem descritos pelo autor, as mudanças que os jovens têm gerado não só nas empresas, mas também no nosso dia a dia.

Durante algum tempo, os jovens nascidos nas décadas de 1980 e 1990 foram rotulados como aqueles que cresceram sem um ideal para lutar, sem um inimigo para fazer uma revolução. Hoje o que vemos é que a forma de revolucionar é outra, mas que há, sim, revolução. Basta olharmos ao nosso redor.

Nós, representantes de outras gerações, nos identificamos com algumas características da Geração Y descritas neste livro, exatamente pelo eco que a revolução desses jovens tem causado: tornamo-nos imediatistas e usamos a tecnologia como nossa aliada; buscamos trabalhos que façam sentido para nós e nos cobramos por qualidade de vida; valorizamos ambientes de trabalho agradáveis nos quais somos respeitados como indivíduos; sonhamos com políticos coerentes e com menos burocracias e hierarquias; queremos produtos customizados e empresas com canais efetivos de comunicação; almejamos uma sociedade mais igualitária e que aceite, sem julgamentos, as diferenças entre as pessoas; e muito mais.

O próximo passo pode ser perguntar quem não quer tudo isso, independente do ano de nascimento, não é mesmo? Porém, só queremos porque eles, os jovens que já estão liderando empresas e comunidades em geral, construíram a possibilidade de sonharmos e buscarmos esses ideais como parte de uma realidade que já foi transformada por eles e continuará em transformação. O impacto do jovem não será no futuro, será hoje e nós precisamos compreender isso.

Sofia Esteves
Presidente do Grupo DMRH/Cia. de Talentos

UM

TUDO TEM UM COMEÇO

Talvez seja este o aprendizado mais difícil: manter o movimento permanente, a renovação constante, a vida vivida como caminho e mudança.

MARIA HELENA KÜHNER
(dramaturga e pesquisadora)

:: Tempo de mudanças

HÁ POUCO TEMPO um executivo chegou em casa depois de um dia de intensas atividades e, como de costume, foi cumprimentar todos de sua família.

Sua filha estava no quarto absolutamente concentrada; mesmo assim, levantou-se e veio cumprimentá-lo com um beijo. Ele perguntou sobre seu dia e também sobre o que estava fazendo. Ela respondeu ao pai que, no dia seguinte, teria de entregar um trabalho que valia importantes pontos em suas notas no colégio.

Percebendo a responsabilidade da filha com o compromisso, disse que a deixaria à vontade para estudar e que, antes de dormir, falaria com ela novamente.

Lembrou-se de quando tinha esse tipo de tarefa e até sentiu certo alívio de já haver passado por essa etapa em sua vida. Não se recordava de viver muitas alegrias quando tinha de fazer "lição de casa" ou estudar para uma prova do dia seguinte. Essas obrigações sempre significaram para ele abandonar completamente qualquer outra atividade, principalmente assistir à TV ou brincar com os amigos.

Muitas vezes chegou do colégio ansioso para andar de bicicleta, brincar com os colegas da rua ou mesmo assistir ao último episódio do seu desenho favorito. Todas as vezes que isso acontecia, porém, era questionado por sua mãe se já havia feito a lição de casa. Sua resposta era sempre a mesma; e a reação de sua mãe, também. Antes que ele pudesse imaginar, já estava na mesa da cozinha fazendo a lição, sob o olhar atento e vigilante dela.

Algumas vezes, tinha a alternativa de fazer o trabalho na casa de um colega de grupo. Isso era um pouco mais agradável, pois a atividade podia ser realizada com mais flexibilidade. Quase sempre, era escolhida a casa daquele colega de classe cujos pais haviam comprado uma enciclopédia famosa de cultura geral, como a *Barsa* ou a *Conhecer*. Se nenhum dos colegas possuísse uma delas, certamente teriam de recorrer à biblioteca municipal. Contudo, uma coisa sempre estaria resolvida: quem tivesse uma máquina de escrever não precisaria ir, pois sua contribuição na atividade já estava determinada. O importante era entregar o trabalho com muitas folhas e uma boa apresentação.

No final daquela noite, voltando ao quarto de sua filha para desejar-lhe um bom descanso, antes que ela pegasse no sono, ficou perplexo com a cena que encontrou. Ela estava com a TV ligada no canal Discovery, com fones ouvindo música no iPod, com o computador ligado e conectado na internet, com três sites abertos (o Google, um blog colorido e o site de relacionamento Orkut) e também com o Word e o PowerPoint acionados, teclando com cinco amigas no MSN, além de estar com o celular na mão enviando um SMS para um colega. **TUDO AO MESMO TEMPO!**

A primeira reação do pai foi questioná-la de forma dura, pois havia entendido que ela estaria fazendo o importante trabalho escolar. Sentiu muita culpa por se achar tolerante demais com a disciplina que havia dado à filha. Então, imediatamente acionou os referenciais herdados de seus pais e considerou as diversas decisões que deveria tomar com base naquela cena.

As primeiras providências foram: desligar imediatamente a TV, tomar o celular e o iPod da mão de sua filha, fechar todas as janelas do micro e deixar apenas o Word ligado na tela, para que ela pudesse digitar o trabalho para o dia seguinte. Considerou a ideia de tirar o computador do quarto dela e colocar na sala, onde ele pudesse "vigiar" com mais atenção as atividades. Além disso, já estava imaginando os possíveis castigos que deveria aplicar, tais como: proibir o uso de MSN, limitar o acesso à internet por meio de um software de controle, guardar o iPod e só devolver aos finais de semana e outras "punições" do gênero.

Com o horário avançado na noite, considerou também que deveria entrar no circuito e ajudá-la a fazer o trabalho, senão o resultado estaria comprometido para o dia seguinte. Questionou sobre o tema do trabalho e onde estava o livro usado como fonte. Quando ela disse que não havia nenhum livro (nenhuma *Barsa*!) sendo usado como base para o trabalho, o executivo teve o "**choque da geração Y**".

Ela estava fazendo o trabalho junto com as amigas, conversando e trocando ideias pelo MSN. A TV exibia um documentário sobre o tema do trabalho, e ela digitava no celular uma mensagem (SMS) de agradecimento à professora que havia indicado o programa em sua comunidade no Orkut. Enquanto isso, ouvia no iPod a música que seria usada como fundo musical na apresentação de PowerPoint que estava sendo montada para ilustrar o texto sobre o tema, localizado em um blog (aquele colorido) depois de uma pesquisa no Google.

Foi uma pancada! O executivo não tinha chegado nem perto de imaginar que todas essas ferramentas estavam funcionando simultaneamente e que a integração dessas atividades permitiria que a filha chegasse a um resultado positivo.

Percebeu imediatamente que havia inviabilizado todas as alternativas para que ela concluísse o trabalho quando retirou as ferramentas, principalmente a conexão com as amigas. Desculpou-se, devolveu o celular e o iPod e saiu meio envergonhado. Ficou ainda meio desconfiado e só teve a certeza de que quase prejudicou a filha dias depois, quando soube que ela havia tirado a nota máxima no trabalho.

O que aconteceu com esse executivo está longe de ser um caso isolado de uma adolescente excepcional, dotada de uma inteligência superior. Na realidade, situações assim têm se tornado cada vez mais comuns nas famílias em todo o mundo. Esses jovens estão obtendo na escola resultados muito melhores do que jovens de outras gerações. O grau de exigência está aumentando, os desafios e a concorrência estão cada vez maiores. Evidentemente, isso não pode ser generalizado, pois a sociedade atual possui enormes lacunas em "bolsões de pobreza", nos quais os jovens encontram muitas limitações, com um nível de ensino extremamente inferior, num paradoxo inacreditável.

Vivemos um tempo de intensas mudanças, e não existe nada que se torne sustentável no tempo que não tenha começado pequeno, simples, e não tenha se originado de uma mudança. Creio que isso encontra ressonância onde quer que seja pronunciado no mundo. Estamos em um tempo singular em que percebemos inúmeros acontecimentos à nossa volta, todos acompanhados de uma infinidade de informações e chegando pelos mais variados meios.

No início do século passado, ao se indicar o país considerado o mais rico, o mais forte militarmente, o de melhor sistema educacional, o de melhor padrão de vida para seus habitantes, enfim, o "centro do mundo", não havia dúvidas em apontar a Inglaterra.

No decorrer de cem anos, essa indicação foi gradualmente transferida para os Estados Unidos, sem representar, contudo, a mesma unanimidade – principalmente porque, nos últimos anos, a globalização distribuiu esses conceitos entre novas forças que estavam adormecidas ou bloqueadas pelas disputas no período pós-guerra.Talvez a mais significativa alteração de forças da atualidade seja representada por países como China e Índia que, com seus bilhões de habitantes, estão alterando completamente o cenário mundial.

Nos tempos da Guerra Fria, a miopia política divulgada amplamente nos noticiários pregava que as "maiores" potências do mundo eram os Estados Unidos e a União Soviética, mas esquecia que 33% da população mundial estava concentrada naqueles dois países orientais. Na universidade ouvi um professor dizer que sem armas nucleares, canhões ou metralhadoras, mas apenas com uma lâmina de barbear na mão de cada chinês, toda a Europa e a Rússia unidas com seus aliados não seriam um obstáculo significativo para a tremenda força humana da China.

Hoje podemos entender o significado dessa afirmação quando analisamos dados mais recentes, com base nos quais é possível afirmar que em alguns anos o país que terá o maior contingente de pessoas falando inglês será a China. Atualmente na Índia – que tem o maior *call center* do mundo, respondendo por 85% de todas as centrais de suporte dos Estados Unidos – todos os alunos graduados falam inglês. O equilíbrio mundial está se alterando de modo irreversível e estamos conhecendo o surgimento de uma nova era.

As mudanças que percebemos quando avaliamos toda a história humana estão se acentuando em uma velocidade extraordinária. É cada vez mais claro que uma nova era se estabelece em um tempo menor.

Como ilustração, vamos dividir a história em algumas eras bem características.

Na **Era da Agricultura** (até 1776), sem detalhar os movimentos culturais que resultaram na permanência desta por séculos, ressalta-se que o principal valor atribuído ao ser humano nesse período estava associado à posse da terra. Naquele tempo, os nobres e reis comandavam os interesses de todas as pessoas; por isso, quem tinha a posse da terra tinha relevância perante os demais. A grande mudança foi provocada pelas revoluções políticas que estavam acontecendo, principalmente as da França e dos Estados Unidos.

A **Era do Artesanato** (até 1860) já estava presente durante as revoluções, e suas características ficaram mais acentuadas com os movimentos de libertação de escravos, promovidos em diversos países. As pessoas começaram a perceber que era impossível associar o valor de uma pessoa unicamente à posse de um território. A condição de maior valor, então, migrou para a força de trabalho. Os movimentos causados pela transição entre essas duas eras, somados aos primeiros avanços tecnológicos criados durante a Revolução Industrial, permitiram o surgimento da **Era Industrial** (até 1970).

Foi um tempo de muitas transformações na sociedade. Novas tecnologias e invenções, novos modelos de organizações e de trabalho, uma grande depressão econômica e duas guerras mundiais promoveram a transição de valor do "trabalho" para a posse do capital. Foi também a primeira vez que o padrão de valor para o comércio mundial teve uma alteração extrema, quando as operações entre os países deixaram de se basear em um bem tangível como o ouro e passaram a se apoiar no dólar americano, uma moeda com valor intangível e sujeita a variações cambiais em cada país. Certamente esses foram os fundamentos para a globalização e o embrião para os negócios virtuais.

No final do século 20, a velocidade e a sofisticação das transações comerciais internacionais, associadas ao acelerado crescimento da população – que já havia dobrado em menos de quarenta anos, saltando de 2 bilhões para 4 bilhões de pessoas em 1980 –, promoveram avanços tecnológicos tão expressivos que a informação transformou-se no principal valor que alguém poderia possuir. Iniciava-se, assim, a **Era do Conhecimento** (até 2000), em que a informação passou a ser o único valor de fato – inclusive absorvendo valores das eras anteriores.

Como exemplo, basta refletir sobre o que é o capital representado pelo saldo financeiro em um extrato de conta bancária, a posse de um terreno registrada em uma escritura de cartório, ou ainda a qualificação para o trabalho expressa por um certificado ou diploma. Tudo passou a ser informação. Grande parte, inclusive, virtual e intangível.

Resumindo, teremos, então:

ERAS	ATÉ O ANO DE	PRINCIPAL VALOR
Agricultura	1776	Terra
Artesanato	1860	Trabalho
Industrial	1970	Capital
Conhecimento	2000	Informação

O destaque, porém, fica para a nova era que está surgindo, a **Era das Conexões** (a partir de 2000), alavancada por toda tecnologia proporcionada pelo crescimento dos meios de comunicação, sobretudo de telefonia e internet.

Como normalmente acontece, o principal valor também se alterou e já não é a posse da informação o fator de maior relevância – afinal, qualquer pessoa pode ter acesso a informações por meio de mecanismos de pesquisa como o Google. O principal valor agora está associado a pessoas que possuem relacionamentos. Chegamos ao tempo em que conhecer a pessoa certa, na hora certa, com aquilo de que você precisa... não tem preço.

As pessoas têm hoje à disposição uma quantidade absolutamente inédita de meios de conexão. Todos podem se comunicar de formas diversas e em qualquer lugar e momento. Se avaliarmos os dados recentes, veremos que em apenas dois anos o número de buscas feitas mensalmente no Google saltou de 2,7 bilhões para mais de 50 bilhões. Há mais informação publicada na internet em uma semana do que todo o conteúdo gerado até o século 19. Durante o último ano foram enviados mais de 2 trilhões de mensagens por meio de telefones celulares, o que significa mais de uma mensagem por dia para cada habitante do planeta. O número de e-mails já supera a quantidade de um trilhão por ano, assim como as vendas anuais de aparelhos celulares no mundo já ultrapassaram a marca de 1,2 bilhão.

Informações dessa natureza despertam sempre muita admiração e, para quem tem curiosidade, a internet é extremamente criativa em apresentar esses números impressionantes – basta visitar sites como o The now network (<http://now.sprint.com/widget/>) para identificar os efeitos provocados por quase 7 bilhões de pessoas no mundo.

Estamos iniciando esta nova era com muitas expectativas positivas, mas também com dúvidas a respeito de nossos comportamentos. A principal mudança nos direciona para as decisões e escolhas baseadas nas experiências de relacionamento. Muitos acontecimentos e decisões são dramaticamente alterados em sua trajetória por causa de felizes ou infelizes experiências nos relacionamentos.

A simples compra de uma roupa ou o fechamento de um grande contrato comercial sofrem influências diretas e poderosas da experiência de relacionamento proporcionada durante a negociação.

As pessoas estão se conectando mais a cada dia e, diante de tantas mudanças, ficou mais complexo identificar o que é certo e o que é errado. Muitas vezes o que parece errado acaba dando certo e o que é aparentemente certo apresenta resultados errados. Isso confunde as pessoas e provoca reações diversas para cada situação de mudança.

:: Resistências

Quando observamos com mais atenção tudo o que acontece à nossa volta, fica claro que as mudanças sempre provocam algum tipo de reação.

O sentimento mais comum é o de insegurança, causado pelas incertezas geradas em consequência da ruptura de rotinas e do estado de conforto. Até apoiarmos alguma mudança de fato, passamos por inevitáveis etapas de comportamento, e destaco que a primeira reação é a **negação** do fato.

Analisando com maior amplitude, é fácil observar que a negação é a primeira ação que tenta impedir o avanço de qualquer mudança, mesmo que temporariamente.

Para que uma escolha, uma decisão, uma situação mantenha a sua trajetória são necessárias várias afirmações, vários "sims". Quando ocorre apenas uma negação, um "não", todo o processo fica interrompido. Ao negar uma mudança, buscamos preservar, com todas as forças, o estado atual das coisas. Não queremos abrir mão de pequenas conquistas, sacrifícios e escolhas que nos permitiram alcançar um grau de conforto aceitável.

Acreditamos muito no poder que o "NÃO" possui, mesmo sabendo que, muitas vezes, os fatos possuem forças maiores. Quando isso acontece, mudamos nossa ação para a **resistência**. Essa é a mais visível entre as reações às mudanças que manifestamos em nosso dia a dia. Resistir é absolutamente natural para nós, pois demonstra nosso mais primitivo instinto "guerreiro" e combativo. Quem não resiste normalmente é avaliado como alguém fraco, sem atitude, sem personalidade, sem opinião.

Nós gostamos de um debate, de uma opinião divergente. Publicamente admitimos, até, que é ótimo quando há resistência a uma nova ideia, pois é graças a essa resistência que ela pode ser melhorada, otimizada, ampliada. É durante a resistência que apresentamos nossos argumentos, nossos pontos de vista, nossas percepções e, eventualmente, nossas inseguranças e medos.

Somente por esses fatores já ficaria evidente concluir que pessoas resistentes às mudanças são mais fáceis de lidar do que pessoas que negam a mudança. Contudo, muitas vezes nos fixamos nessa resistência e deixamos de observar com mais amplitude todo o cenário futuro.

Mudanças acontecem o tempo todo, e avançar nessa trajetória é essencial para entendermos e nos posicionarmos diante dos novos cenários. Quando ampliamos nossa consciência sobre as novas realidades, as reações começam a ser mais favoráveis às mudanças. Saímos da resistência e começamos a nos preparar, por meio da **exploração** dos fatos, para todas as possibilidades, benefícios, custos, dificuldades e desafios possíveis no novo cenário.

Avaliando o comportamento das novas gerações, destaca-se uma característica marcante nos jovens: a de serem curiosos, famintos por informações.

Certa vez, em uma palestra para universitários, Steve Jobs, fundador da Apple e da Pixar, empresas mundialmente conhecidas pela capacidade de inovação, citou uma frase em tom de exortação para os futuros profissionais. A frase era da publicação *O catálogo de toda a Terra* (*The whole earth catalog*), de Stewart Brand, que teve várias edições entre 1968 e 1972 – e, atualizando para os nossos dias, era uma espécie de Google analógico. A frase citada por Steve Jobs dá uma boa indicação do comportamento que hoje é o diferencial dos mais jovens quando estes conseguem canalizar suas energias para algo que seja sustentável e de valor. Na edição final da publicação, lia-se a frase "**SEJA FAMINTO, SEJA TOLO**".

Ter fome de conhecimento nos direciona para todo tipo de situações e possibilidades. Além disso, por mais incomum que seja a percepção de velocidade que temos atualmente, nunca antes tivemos acesso a tantas ferramentas para realizar nossas explorações. Ser "tolo" poderia ter um significado mais áspero, dando sinais de que deveríamos adotar uma postura menos responsável diante de mudanças, mas prefiro pensar na "tolice" provocada pelo desprendimento de verdades absolutas, convenções e premissas que podem, muitas vezes, estar ultrapassadas.

Se formos bem-sucedidos nessa exploração, a **aceitação** dos fatos é facilitada. De maneira completamente oposta à atitude da negação, passamos a considerar reais e possíveis as alterações de cenários e condições.

Nem sempre aceitar mudanças significa ser "derrotado" pelas circunstâncias. Muitas vezes associamos a aceitação a um sinal de resignação e desistência que implicará inevitavelmente um estado de desconforto e incômodo. Quando isso ocorre, esperamos ansiosamente e até buscamos ser surpreendidos por aspectos ainda não explorados, desejando que isso faça toda a diferença.

Desejamos manter o estado das coisas; afinal, como lutamos diariamente por nossas conquistas, não conseguimos nos desprender com facilidade delas. Por essas razões, apenas a aceitação das mudanças não garante que elas serão adotadas ou mesmo implementadas. Para que uma mudança ocorra de fato, é necessário o

envolvimento de todos os que serão afetados pelas alterações de cenário.

Hoje é quase inadmissível um profissional assumir uma posição resistente a mudanças. Contudo, muitos ainda adotam o discurso de aceitação, mas não se envolvem com elas, considerando que os efeitos estarão sempre a uma distância segura e controlável.

Em uma oportunidade, conversando com um executivo, ouvi sua avaliação sobre a impetuosidade e ansiedade que os jovens apresentavam em sua empresa. Em suas argumentações, estava clara a resistência, a luta que o executivo travava consigo diante das novas abordagens que os jovens adotavam nas propostas, ideias e solução de problemas. Para ele as abordagens eram sempre muito superficiais e desprovidas de uma análise profunda.

Durante nossa conversa, de pouco mais de quarenta minutos, enquanto relatava diversas situações de seu cotidiano, ele usou a frase "Calma, não é assim" mais de 45 vezes, denotando claramente que o ritmo das mudanças em sua empresa estava provocando um tremendo desconforto. Mesmo assim, ele sempre se avaliava como um profissional inovador e aberto a mudanças. A segurança apresentada pelo estado de conforto das coisas nos inibe de avançar na exploração de novas realidades, mesmo quando nosso discurso é de inovação.

Certamente, o atual cenário mundial exige de cada pessoa uma reflexão mais ampla, que permita um real

comprometimento com as novas realidades. Para isso, devemos nos lembrar das nossas capacidades naturais, uma vez que possuímos um cérebro extremamente otimizado.

Falamos constantemente que as mudanças estão acontecendo cada vez mais rápido. Pois bem, sabemos que o cérebro humano registra o tempo por meio da observação dos movimentos. Uma pessoa totalmente isolada em uma câmara escura durante algum período perderá gradualmente a noção da passagem do tempo. Inicialmente, perceberá a passagem pelas indicações de seu próprio corpo, com as manifestações de fome, sede e sono. Posteriormente, até os batimentos cardíacos poderão auxiliar na marcação do tempo – no entanto, esse tipo de marcação tenderá a se perder depois de alguns dias.

Diversos relatos de pessoas que foram sequestradas ou mantidas absolutamente isoladas em cativeiro confirmam esses acontecimentos. Isso ocorre porque percebemos a passagem do tempo pela movimentação de objetos, animais, pessoas e, principalmente, pela **repetição** de eventos cíclicos, tais como o nascer e o pôr do sol. O interessante é destacar que repetir algo nos dá a segurança da passagem do tempo.

Como temos milhares de pensamentos diariamente, otimizamos o uso de nosso cérebro de modo a não processar a mesma informação duas vezes. Colocamos as tarefas repetidas no modo automático, gerando menor esforço de processamento. Assim, não "enlouquecemos" com tantas informações de que precisamos dar conta o tempo todo.

Imagine quantos comandos ocorrem no cérebro quando estamos dirigindo nosso veículo. Isso seria impossível se boa parte dessas informações não estivesse sendo processada automaticamente em nossa mente. Basta lembrar o desgaste mental que sofríamos em nossas primeiras experiências atrás de um volante.

É quando vivemos uma experiência pela primeira vez que temos as maiores percepções de vida. Nesse momento, sentimos as reais emoções humanas. Conforme as experiências se repetem, nosso cérebro apaga as duplicidades e, assim, deixamos de experimentar um acontecimento e acabamos esperando uma nova "repetição" para que aceitemos as coisas como normais ou dentro de uma expectativa de conforto aceitável. Gostamos muito da rotina. É ela que promove a sensação de aceleração do tempo.

A rotina é essencial para nossa existência, pois viabiliza muitas coisas, muitos processos, inclusive de segurança física e existência social. Contudo, algumas pessoas amam tanto a rotina que ao longo da vida não percebem a passagem do tempo. Os movimentos à sua volta são sempre os mesmos, as pessoas são sempre as mesmas, as escolhas são automáticas, qualquer alteração destrói a estabilidade. Isso é tão complexo e intenso que em alguns casos a repetição dos acontecimentos é atribuída a fatores culturais e de tradição que buscam preservar as decisões mesmo diante de fatos absolutamente diferentes dos que deram origem ao processo de repetição.

Quando enriquecemos nosso dia com experiências novas, as que fazem a mente parar e pensar, é comum percebermos a passagem do tempo de modo peculiar, tal é a quantidade de "movimento" vivido. Nossos dias parecem cheios e ricos. Temos uma sensação de satisfação e plenitude.

Resumindo, então, as fases do processo de mudança são:

1	Negação
2	Resistência
3	Exploração
4	Aceitação
5	Envolvimento
6	Comprometimento

O tempo que alguém leva para aderir a qualquer mudança varia de pessoa para pessoa. Algumas vão da negação ao comprometimento em segundos; outras precisam de anos.

Devemos considerar que todas as realidades são passíveis de mudança. Por isso, em vez de perceber as mudanças devemos ser seus protagonistas, seus agentes, interagindo e provocando as alterações de realidade.

O cenário atual exige esse esforço, por isso devemos criar condições para nos desprendermos de nossas premissas e voltarmos nossa atenção para as novas experiências que surgem a cada dia, com as novas tecnologias e com as novas gerações de pessoas.

DOIS

AS GERAÇÕES

> *A principal meta da educação é criar homens que sejam capazes de fazer coisas novas, não simplesmente repetir o que outras gerações já fizeram. Homens que sejam criadores, inventores, descobridores. A segunda meta da educação é formar mentes que estejam em condições de criticar, verificar e não aceitar tudo o que a elas se propõe.*

JEAN PIAGET
(psicólogo e educador)

: : Conflitos

Minhas pesquisas com as gerações começaram há mais de vinte anos, com o nascimento do meu filho. Até aquele momento, via a diferença entre gerações de maneira singular e absolutamente egoísta, uma vez que as únicas condições que eu conseguia observar referiam-se às divergências de opinião que eu tinha com "os mais velhos".

Nada que pudesse ser considerado novo. O "choque de gerações" era divulgado na imprensa intensamente e de forma superficial, procurando amenizar os conflitos que ocorriam principalmente no relacionamento entre pais e filhos. Procurei entender esses conflitos, pois não desejava ter o mesmo tipo de relacionamento com meus filhos (minha filha nasceu três anos depois). Não queria cometer os mesmos "erros" de meus pais, por isso estabeleci condições que deveriam ser construídas e preservadas no relacionamento com meus filhos. Coisas como falar sobre sexo, escolhas pessoais, responsabilidades, conversas francas e tudo o mais estariam na base do meu relacionamento com eles.

Descobri, posteriormente, que nem mesmo toda energia que depositei nessas intenções me impediu de cometer outros erros, mas creio que extraí algumas importantes lições da trajetória de criar meus filhos, considerando as diferenças significativas que existem entre nossas gerações.

As primeiras impressões que temos das crianças de hoje estão diretamente associadas às capacidades intelectuais. A tendência mais comum é considerá-las muito mais capacitadas do que fomos em nossa infância. Foi assim com meus filhos. Em um primeiro momento, tive muito orgulho ao observar que ambos desenvolviam suas capacidades de forma acelerada, provocando em mim inclusive a sensação de ter gênios em casa. A facilidade com que adquiriam total intimidade com o computador e outros equipamentos me encantava. Nada em relação às novas tecnologias parecia intimidá-los. Bastava apresentar a novidade e eles rapidamente dominavam o equipamento, dispensando completamente as instruções dos manuais – até porque isso acontecia bem antes que eles soubessem ler.

Outra coisa que percebi foi a rápida assimilação da língua inglesa, que naquela época já era amplamente difundida em minha casa. Não que eu e minha esposa dominássemos a língua; não dominávamos. No entanto, eles sempre estiveram expostos aos programas que utilizávamos no computador e também à programação a que assistíamos na TV por assinatura.

Realmente eles nasceram em um mundo completamente diferente do que conheci em minha infância e, por isso, precisavam estar mais preparados para esse novo mundo.

Meus pais devem ter feito reflexões semelhantes.

Lembro-me de, diversas vezes, meu pai mencionar que "no tempo dele" não havia televisão nem telefone. Que o único rádio que ele podia ouvir ficava na sala da casa de um vizinho. Talvez eu também lhe parecesse meio precoce. Ele sempre me pedia para configurar suas rádios favoritas no toca-fitas que instalara em seu automóvel, pois não conseguia entender o funcionamento daquele sistema.

Tenho lembranças de ser promovido a configurador de canais de nossa primeira televisão colorida. O novo aparelho vinha com botões de canais que deveriam ser sintonizados individualmente e essa era minha nova tarefa agora que, sem o seletor rotativo de canais, minha função de controle remoto havia terminado. Melhor para mim, pois aquele seletor insistia em quebrar na minha mão quando meu pai me mandava ir trocar de canal.

Claro que nossa infância sempre traz recordações preciosas, e talvez devêssemos dedicar um pouco mais de tempo a reflexões sobre nossa própria história, mesmo que seja ao receber aqueles insistentes arquivos de PowerPoint em nossos e-mails nos lembrando de nossa idade por meio de preciosidades como o refrigerante *Grapette*, os tênis *Kichute* e as balas *Juquinha*. Classifico essas reflexões como "tolices" daquela categoria citada por Steve Jobs na frase para os jovens formandos – "**SEJA FAMINTO, SEJA TOLO**".

O momento atual é oportuno para reflexões sobre as gerações, pois estamos vivendo uma circunstância singular em nossa história. É a primeira vez que cinco gerações diferentes de pessoas convivem mutuamente, em números significativos, de forma consciente, interferindo e transformando a realidade.

Para entendermos isso, é preciso considerar que o conceito de geração reconhecido e aceito pela sociedade moderna estabelece o período de vinte anos como marco de separação entre as gerações.

Aos 20 anos de idade, os jovens fazem as primeiras escolhas profissionais, estabelecem com mais foco as preferências de relacionamento, inclusive conjugais, e adotam posições políticas. Geralmente, é com essa idade que uma pessoa começa a interferir de forma mais significativa na sociedade em que vive, e isso ocorre na maioria das culturas.

Como o foco são os jovens de hoje, vamos começar nossas reflexões por eles.

:: Geração Y Nascidos entre 1980 e 1999

O BATISMO DESSA GERAÇÃO se deve a um fato curioso. Quando a antiga União Soviética exercia forte influência sobre países de regime comunista, chegava a definir a primeira letra dos nomes que deveriam ser dados aos bebês nascidos em determinados períodos. Nos anos 1980 e 1990 a letra principal era a Y. Isso realmente não teve muita influência no mundo ocidental e capitalista, mas posteriormente muitos estudiosos adotaram essa letra para designar os jovens nascidos nesse período. Surgia assim o termo ***Geração Y***.

Esses jovens estão chegando agora à vida adulta e ao mercado de trabalho e, portanto, começando a interferir de maneira mais direta nos destinos da sociedade. São extremamente informados, mas também possuem um componente importante de alienação, pois ainda não conseguem ou não sabem lidar com toda essa informação de forma produtiva.

Eles nasceram de famílias estruturadas em um modelo mais flexível, no qual o convívio com os pais é bastante diferente do que havia nas gerações anteriores. Ter pais separados deixou de ser uma raridade para se tornar uma possibilidade sempre presente e, como consequência natural, ter irmãos de pais diferentes não é mais um fato absurdo que se conta de um vizinho ou de um amigo na escola. Agora, um jovem pode ter em sua formação influências múltiplas de pais, tios e avós diversos, não mais apenas de sua estrutura familiar original. E, mesmo quando não tem pais separados, esse jovem tem de aprender a lidar com outra situação: a ausência não apenas do pai mas também da mãe em seu dia a dia.

Ficar longos períodos longe de casa era uma atitude constante dos homens já nas gerações anteriores. Essa atitude sedimentou-se de tal maneira que ser ausente ganhou contornos de comportamento exemplar, pois a ação era justificada como grande esforço dos pais em proporcionar um padrão de vida digno à sua família. Acrescentam-se a esse cenário as revoluções vividas pelas mulheres, que conquistaram maior autonomia. Estabelecendo relacionamentos conjugais muito mais independentes financeira e emocionalmente, elas passaram a priorizar a realização profissional. Ainda assim, abandonar seu papel na família não era uma opção razoável – nem elas estavam dispostas a se omitir como mães.

Isso criou uma circunstância ambígua: as mães procuraram compensar sua ausência oferecendo instrumentos educacionais que levassem os filhos a se tornar mais competitivos no futuro e, apesar de ter a figura materna menos presente, nenhuma geração anterior recebeu tantos cuidados, tantos estímulos e tantas informações que pudessem levar os jovens a uma qualificação mais elevada.

Cada pai e mãe passou a se empenhar com muita energia, buscando proporcionar a seu filho a melhor escola, o melhor curso de línguas, a melhor escola de natação ou futebol, e diversas outras atividades dessa natureza.

Aliás, uma novidade nessa geração ocorre justamente com os cursos de línguas, que antes eram quase que exclusivamente de inglês. Hoje vemos uma grande procura por outras línguas, algumas até exóticas, como o mandarim da China. E se isso acontece não é porque o inglês saiu de moda, mas porque de alguma forma os jovens da *Geração Y* desenvolveram, espontaneamente, uma grande intimidade com a língua inglesa por outros meios, como os *videogames* (que em sua maioria apresentam comandos nessa língua), os filmes e as músicas que tocam nos aparelhos domésticos e pessoais. A impressão mais forte que temos é de que eles já nascem sabendo falar inglês.

Se tiverem condições financeiras, os pais buscarão a expansão das capacidades mentais e físicas de seus filhos em cursos de matemática, ciências, judô ou qualquer outro método que acrescente diferenciais relevantes e possa proporcionar ao jovem um futuro de sucesso. Para muitos pais e mães, preparar seus filhos para um ambiente de alta competitividade tornou-se missão de vida.

A tecnologia tem grande influência na educação dos jovens de hoje. Entretanto, suas formas de influência se alteraram significativamente em relação às gerações anteriores.

Veja o caso da TV, que deixou de ser o principal centro de interesse das crianças.

Assistir à programação oferecida já não era suficiente, mesmo com a ampliação do número de canais dos cinco originais para os mais de cem disponíveis nas TVs por assinatura, que inclusive motivaram a popularização do controle remoto, permitindo uma interação maior com o aparelho.

O antigo telespectador estava dando lugar ao agora chamado "usuário" e a TV já não era considerada uma "babá eletrônica". Os jovens exigiam maiores possibilidades de interação. Foi o advento do *videogame* que transformou completamente a realidade e o cenário de desenvolvimento dos jovens da *Geração Y*.

Os pais da *Geração Y* ainda eram jovens quando surgiram os primeiros aparelhos rudimentares de jogos eletrônicos, que se limitavam a telas negras com pontos de luz e um console para o comando dos movimentos. E, como essa geração já estava chegando à idade adulta, considerou o "brinquedo" um divertimento passageiro e concentrou seu desenvolvimento em outros centros de interesse, como o trabalho.

Quando a *Geração Y* começou a nascer, o Atari já era um sistema em decadência e estava sendo rapidamente substituído por *videogames* mais sofisticados.

Duas características destacam-se nos jogos eletrônicos, por estar presentes em praticamente todas as modalidades: as **fases do jogo** e o **placar de recordes**.

Um bom jogo de *videogame* deve sempre proporcionar várias fases diferentes a seus jogadores. Cada fase deve conter um grau de dificuldade, apresentar um desafio novo, e o jogador deve sempre ser estimulado a avançar para a próxima etapa com o objetivo de superar um **desafio** ainda mais complexo.

Para atribuir recompensa e reconhecimento, todo jogo também deve ter um sistema de apuração de **resultados** objetivos, normalmente numéricos ou financeiros, e estabelecer um placar de recordes pelo qual o jogador possa comparar seu desempenho com o de outros **competidores.**

À medida que os jogos foram se tornando mais complexos e desafiadores, os jovens desenvolveram novas expectativas para suas necessidades de reconhecimento. Já não bastava ter o nome na galeria de recordes, a busca agora era por criar desafios entre jogadores e compartilhá-los junto com resultados. A nova ordem era buscar **interação.**

Os *videogames* estavam em processo de evolução e o desejo de mais possibilidades de aplicação em atividades além dos jogos criou o cenário ideal para a popularização do computador pessoal.

Os primeiros computadores pessoais não tiveram o acolhimento positivo dos usuários. Eram bastante limitados e muitas vezes foram considerados "*videogames* de luxo", pois não havia aplicações que justificassem sua necessidade, além de serem muito mais caros que os *videogames* simples.

Foi somente com a popularização da internet que o computador pessoal alcançou sua plena justificativa e possibilitou o instrumento perfeito para que a *Geração Y* pudesse desenvolver todo o seu potencial.

As promessas da recém-lançada internet levaram o jovem a sonhar com infinitas possibilidades, desde a comunicação instantânea e sem fronteiras com outras pessoas até o acesso a todo tipo de conteúdo, principalmente aqueles com divulgação controlada por direitos de propriedade.

A informação tornou-se irrestrita e ilimitada; com a nova tecnologia, o jovem teria sua fome de conhecimento recompensada. Novos valores estavam surgindo, novas verdades precisariam ser escritas. O futuro havia finalmente chegado e ele foi determinante na formação da mais complexa, desconfortante, assustadora e independente geração.

:: Gerações anteriores

Está determinado ao jovem da *Geração Y* o destino de modificar profundamente os paradigmas e premissas estabelecidos. Contudo, isso não pode acontecer sem se considerar as características que formaram as gerações anteriores, que ainda interferem bastante no futuro da nossa sociedade.

Vamos conhecer algumas dessas gerações e suas características.

Belle Époque

Provavelmente toda família da atualidade tem avós ou bisavós nascidos entre 1920 e 1940, período que considero um dos mais marcantes do século 20.

Todas as referências ao período romântico, contemplado pela geração anterior, estavam sumindo. A ***Belle Époque*** estava presente nas artes, na literatura, no emergente cinema e até mesmo nos anúncios publicitários. Retratar realidades idealizadas por seus autores era uma situação comum, porém esse retrato já não tinha qualquer relação com o cenário real.

As crianças nessa geração, também conhecida como “geração tradicional”, cresceram vendo o mundo mergulhado em uma grande depressão econômica, com famílias imigrando em busca de trabalho ou fugindo da intolerância política provocada pela Primeira Guerra Mundial.

Foi um período dramático para educar os filhos. Havia poucas alternativas para o desenvolvimento dos jovens. As melhores possibilidades contemplavam a carreira militar ou a de operário nas indústrias, que agora surgiam de forma mais acelerada, pois precisavam abastecer uma nova guerra que se aproximava.

Os elevados investimentos em armamentos e as crescentes tensões políticas entre os países no período entre guerras mundiais proporcionaram o surgimento de uma alternativa de carreira para os jovens.

Para os que tinham origem humilde, a escolha da carreira militar era bastante sedutora por possibilitar um poder circunstancial ou o reconhecimento público. Apesar do inconveniente de colocar a vida em risco, eles achavam interessante o reconhecimento eventual de ser considerado "herói de guerra". Outros fatores de interesse eram a clareza e o alinhamento na definição de papéis, provocados pela forte estrutura de comando do exército.

Os jovens de situação mais privilegiada percebiam na condição militar sua independência da autoridade paterna associada à possibilidade de conhecer o mundo. Muitas vezes, essa escolha era considerada rebelde e irracional, mas justificável diante do esforço de guerra.

A Segunda Guerra Mundial afetou de forma significativa toda a sociedade mundial e preparou um cenário bastante diferente para os jovens da geração *Belle Époque*. As crises, catástrofes, guerras e destruição, associadas às separações de famílias provocadas pelas perdas na guerra ou pelas imigrações em busca de trabalho, desenvolveram fortes valores de **compaixão** e **solidariedade** nos jovens, interferindo diretamente nas escolhas que fizeram quando começaram a chegar à vida adulta.

Reconstruir a sociedade foi o grande motivador, a grande missão desses jovens. Refazer a estrutura social e econômica direcionou boa parte dos jovens para a formação de suas próprias famílias, para a educação dos filhos e para relação com o trabalho.

Ser **diligente no trabalho** é outra característica marcante dessa geração. Afinal, não havia possibilidade de focar outra coisa que não fosse a reestruturação da sociedade, e isso somente seria alcançado com muita dedicação e trabalho árduo.

Os conceitos de fidelidade ao trabalho e fidelidade matrimonial fundiram-se e tornaram-se dogmas sociais nos quais a dissolução do relacionamento não era considerada em nenhuma circunstância. Tanto o casamento como o emprego passaram a ser "até que a morte os separe".

Respeitar as autoridades e as regras estabelecidas tornou-se um importante apoio para essa geração, que ficou marcada pela infinita **paciência** direcionada para suas próprias iniciativas, com a definição de que o dever sempre viria antes do prazer, pois "nada se alcança sem **muito sacrifício**".

O empenho dessa geração em restaurar o mundo perfeito foi impressionante, e a sociedade criada é até hoje reconhecida pelo resgate dos valores familiares, dos "bons costumes", da clareza de papéis de cada um.

Naquele tempo era claro que o "pai" trabalhava para sustentar a família, a "mãe" cuidava dos filhos e da casa e os "filhos" deviam apenas estudar para "ser alguém na vida".

Surgiram, assim, os "Anos Dourados", quando a **disciplina**, a **honra**, o **respeito** e a **organização** definiam todos os comportamentos na sociedade, muitas vezes ofuscando uma visão mais crítica sobre os acontecimentos.

Baby Boomers

A Segunda Guerra Mundial teve seu fim provocado principalmente pelo lançamento da bomba atômica, e o período entre 1945 e 1960 foi marcado pela euforia mundial diante de um cenário bastante positivo no pós-guerra, resultando em um grande número de nascimentos de crianças. Foi esse evento que batizou essa geração.

Nascer durante os "Anos Dourados" era considerado um privilégio, pois com a sociedade sendo reconstruída em alta velocidade as crianças poderiam usufruir de um tempo muito melhor do que o experimentado por seus pais. Esse era o pensamento mais comum no período, e a educação dos jovens foi moldada por um conceito de disciplina rígida – qualquer comportamento fora do padrão era considerado nocivo para a sociedade.

A geração *baby boomers* aprendeu muito cedo a respeitar os valores familiares e a disciplina nos estudos e no trabalho. Nenhum jovem jamais deveria contestar qualquer a autoridade estabelecida. Contestar significava, sempre, receber duras punições dos pais ou dos chefes.

Isso refletia em quase todos os aspectos culturais, inclusive na forma de se vestir. Para atender à ordem estabelecida, os rapazes deveriam sempre ter cabelos curtos e bem alinhados, enquanto as moças deveriam estar sempre usando fita de seda no cabelo e vestindo saia com comprimento um pouco abaixo dos joelhos.

Aquele que tinha valores como **disciplina**, **ordem** e **obediência** era recompensado com a plena aceitação nos círculos sociais, indicações para bons empregos ou aprovação nas melhores universidades.

Claro que os comportamentos impostos pelos pais, chefes, professores e demais autoridades criaram uma situação insustentável diante de uma juventude que estava emergindo nesse período pós-guerra.

Não foi muito simples impor aos jovens uma atitude absolutamente submissa a um conjunto de regras, e se rebelar foi uma manifestação natural nesse cenário. Os primeiros movimentos de uma revolução apareceram na música, o refúgio artístico que várias gerações já haviam utilizado para apresentar as transgressões e insatisfações com a realidade em que estavam vivendo.

A maior manifestação desse período foi o nascimento do *rock and roll* com as baladas e danças atrevidas de Elvis Presley, o som do piano inacreditável de Jerry Lee Lewis, a música ácida de Bob Dylan e até os gritos de fãs alucinados pelos Beatles e Rolling Stones.

Os "Anos Dourados", com toda rigidez e disciplina, foram o principal motivo para o surgimento de jovens mais rebeldes e contestadores cujo desenvolvimento foi marcado por escolhas que transgredissem todas as regras, toda ordem que estivesse estabelecida. Comportamentos como fumar, fazer sexo fora do casamento, usar cabelos compridos e roupas justas eram manifestações facilmente vistas nas ruas.

Mais suscetíveis às influências do cinema e da música, tinham no personagem James Dean o principal representante. Esse jovem foi o grande articulador dos tempos que estavam chegando, também conhecidos por "Anos Rebeldes", quando o principal apelo social foi: "Não confie em ninguém com mais de 30 anos!"

Esses jovens desenvolveram uma forte expectativa por gratificação e crescimento pessoal que pudessem ser alcançados como fruto de suas conquistas e de seu trabalho. A preocupação com o bem-estar e com a saúde surgiu na maturidade dessa geração – e é cultivada até hoje na expectativa de ser eternamente jovem.

Geração X

Havia chegado o tempo das revoluções. Entre os anos 1960 e 1980, a geração *baby boomers* assumia de vez a vida adulta, rebelando-se contra praticamente tudo o que estava estabelecido até aquele momento.

Os assassinatos de diversos líderes políticos importantes, como os irmãos John e Bob Kennedy, Martin Luther King e Malcolm X – cujo nome foi usado para batizar essa geração –, associados à controvertida Guerra do Vietnã e aos escândalos políticos como o Watergate (que resultou na renúncia do presidente americano Richard Nixon), ajudaram a sedimentar o sentimento de ceticismo e vulnerabilidade das autoridades.

Muitos países, inclusive o Brasil, tiveram revoluções políticas extremamente agressivas, com perseguições a líderes políticos, jornalistas, professores, religiosos e qualquer pessoa que decidisse criticar as decisões impostas pelos governos. Movimentos *hippies* e rebeliões de estudantes passaram a fazer parte do cenário em quase todo o mundo. A música ficou mais barulhenta, as roupas mais coloridas, os cabelos mais longos, as experiências mais intensas. Tudo acontecia em excesso. A nova ordem era rebelar-se contra qualquer coisa que tivesse o caráter de convencional ou padronizado, inclusive a estrutura familiar.

O surgimento da TV afetou de forma significativa, mesmo que involuntariamente, os relacionamentos familiares, pois o aparelho se tornou um "auxiliar" na educação dos filhos. Foi na *Geração X* que as crianças identificaram um centro de interesse diferente de brinquedos e passatempos usados e oferecidos por seus pais.

Assistir à TV tornou-se um evento familiar, moldando rotinas e comportamentos. Os horários das refeições, as conversas entre casais, pais e filhos, os deveres escolares e até o horário de ir para a cama passaram a ser determinados pela programação da TV.

O conforto e a comodidade que a estruturada grade de programas oferecia foram rapidamente aceitos pelos agora jovens pais da *geração baby boomers*, pois conferiam estabilidade familiar e representavam uma importante "moeda de troca" na educação dos filhos da *Geração X*. Em muitas ocasiões, por exemplo, o acesso ao aparelho de TV poderia ser um prêmio por notas altas na escola ou bom comportamento em casa. Contudo, era na restrição que estava a prova de que a TV se transformava em um instrumento de educação e também de punição.

As correções com palmadas e chineladas foram substituídas pelo controle do acesso aos programas preferidos. Deixar de assistir ao desenho favorito era o castigo.

Outro efeito colateral foi a paixão que essa geração desenvolveu por programas superficiais e de baixa relevância crítica.

No Brasil, a *Geração X* assistiu a desenhos animados como "Os Flintstones" e "Speed Racer", séries de super-heróis como "National Kid" e "Ultraman", e comédias ingênuas como "A Feiticeira" e "Jeanne é um Gênio", entre outras atrações.

Inúmeras vezes implorei a meus pais que me deixassem assistir ao programa do "Toppo Giggio" ou da "Pantera Cor-de-Rosa", que passavam no final da noite. Outras vezes entramos em verdadeiros conflitos familiares para que eu pudesse assistir ao "Perdidos no Espaço", que passava no mesmo horário do telejornal favorito de meu pai.

Apesar de haver uma quantidade bastante limitada de alternativas na programação, oferecidas por cinco ou seis canais de TV, a possibilidade de compartilhar eventos e marcos culturais com todas as pessoas do seu grupo de idade, independentemente de onde elas estivessem, já estabelecia um patamar sem precedentes no vínculo entre os jovens.

Diversos jovens dessa geração não se identificavam com a agressividade proposta pelos movimentos políticos revolucionários e adotavam uma postura mais omissa, evitando se envolver diretamente em qualquer tipo de manifestação social, mesmo as que propunham a liberdade sexual e a igualdade de direitos.

Muitos se abrigaram nas manifestações musicais promovidas por ritmos irreverentes, algumas vezes até agressivos, para expressar seus novos valores e suas posições políticas priorizando a conquista do prazer e do êxtase por meio da música. Além de compor e cantar, buscavam a liberdade de ação e de escolha nos relacionamentos superficiais proporcionados em danceterias.

A partir dessa geração, a música aumentou significativamente seu papel na comunicação e na identificação dos jovens, que começaram a se agrupar de acordo com o estilo musical preferido. Produtos como o Walkman e o iPod, que surgiram anos depois, somente puderam se viabilizar comercialmente em razão dessa transformação no comportamento dos jovens da *Geração X*.

Muitos pais tiveram êxito em transferir a seus filhos todos os valores e conceitos que aprenderam na juventude. Isso permitiu o desenvolvimento de jovens que buscaram a estabilidade financeira, alcançando maturidade e independência rapidamente e, assim, constituindo uma família exemplar, como a de seus pais.

O jovem da *Geração X* sempre foi mais cuidadoso em suas escolhas, preferindo não expor suas opiniões se isso representasse algum tipo de risco para sua estabilidade familiar. Mesmo sem ter um compromisso rígido com as autoridades, submetia-se de forma passiva às regras estabelecidas.

Definitivamente, o novo código de relacionamento estava alterando por completo a formação dos jovens da *Geração X*, pois, mesmo desejando e lutando por seus interesses, acabavam influenciados pelos novos movimentos sociais e pela velocidade da evolução tecnológica.

Com seus pais agindo com ceticismo em relação às autoridades e aos governos, foi simples para os jovens dessa geração considerar vulnerável todo tipo de liderança, inclusive a dos próprios pais.

Assistir, também, à insatisfação conjugal protagonizada em casa alterou completamente as expectativas de relacionamento futuro. Muitas crianças dessa geração acabaram sofrendo com os conflitos de seus pais, às vezes até fisicamente.

Não era difícil questionar a razão de os pais continuarem casados se viviam brigando e raramente manifestavam carinho mútuo. Para esses jovens, o casamento já não significava uma relação perpétua. A separação tornou-se também um importante instrumento de liberdade de escolha e de busca da felicidade. Ser divorciado deixou de ser algo vulgar e escandaloso nas famílias.

Como consequência de todos esses aspectos, o jovem da *Geração X* desenvolveu uma atitude mais egocêntrica e cética, buscando no universo de fantasia apresentado pela TV, em seriados, desenhos e novelas, as famílias com problemas semelhantes, mas com "final feliz".

Ser autossuficiente levou esses jovens a priorizar mais o trabalho, usando a relação familiar apenas como pretexto para justificar seu forte desejo de autorrealização.

Foi uma geração marcada pelo pragmatismo e pela autoconfiança em suas escolhas, que buscou promover a igualdade de direitos e de justiça em suas decisões.

:: Grande vazio

Quando refletimos sobre gerações, devemos considerar a antiga formação clássica constituída de apenas três gerações, compostas das figuras dos avós, dos pais e dos filhos. Essa configuração era facilmente justificada, pois quando os netos estavam atingindo os 20 anos de idade seus avós já ultrapassavam os 60 anos – portanto, estavam no fim de suas vidas.

Atualmente, esse conceito ainda permanece no ciclo de relações trabalhistas e de previdência, que estabelece condições análogas para essa realidade – ou seja, após 35 anos de trabalho, é possível uma pessoa se aposentar. Nesse momento, espera-se que a pessoa tenha mais de 55 anos de idade e usufrua de sua aposentadoria por mais alguns poucos anos antes de falecer.

Isso não é mais uma realidade.

Hoje é comum identificar famílias compostas de bisavós, avós, pais, filhos e netos, todos convivendo simultaneamente. O aumento da expectativa de vida das pessoas – provocado pelos avanços científicos e pela crescente melhoria das políticas de saneamento básico, aliados ao maior fluxo de informações principalmente sobre saúde – alterou completamente a realidade. As pessoas hoje são mais saudáveis e mais bem instruídas, ou pelo menos o acesso a informação é muito maior, o que permite que todos tenham a possibilidade de fazer escolhas que contribuam para uma vida melhor e mais longa.

Como consequência, estamos vivendo mais, atingindo com mais facilidade a casa dos 80 anos. Uma pessoa que trabalhou o tempo necessário para se aposentar ainda terá muito tempo de vida para descansar ou curtir – provavelmente mais uns 25 anos. E isso é muito tempo. As pessoas têm preferido continuar trabalhando, mesmo depois de aposentadas. Mas o posicionamento para o trabalho é um pouco diferente.

Um estudo de 2005 (da Harris Interactive para a Merrill Lynch) com pessoas acima de 60 anos que pretendem continuar a trabalhar e ganhar dinheiro na aposentadoria apurou que esses profissionais não estão dispostos a dedicar o tempo de forma integral. Grande parte dessas pessoas planeja alternar períodos de trabalho e de lazer, e apenas 17% espera parar de trabalhar ao se aposentar. Ao analisar o impacto desses dados no mercado de trabalho, temos a dimensão da complexidade que essa nova realidade apresenta.

Se tivermos como foco alocar jovens em empregos, veremos que as posições de trabalho ainda não estão disponíveis, pois temos profissionais que demoram mais para "sair do mercado". Isso ocorre porque os mais experientes não consideram que a manutenção de seu estilo de vida está garantida pelo valor da aposentadoria e, além disso, sentem-se com saúde suficiente para continuar em seus postos.

O dilema nesse caso está justamente no fato de que, quanto mais tempo o jovem levar para entrar formalmente no mercado de trabalho e se tornar contribuinte do sistema de previdência, mais complexa será a equação para revisão dos valores de aposentadoria.

O novo modelo de relações trabalhistas precisa contemplar a possibilidade de segundas carreiras, para que profissionais mais experientes possam dar espaço aos profissionais novatos.

Outro aspecto de grande impacto na realidade das cinco gerações é a diferença de atitudes características de cada uma delas. Essas atitudes estão interferindo de forma diferente sobre as escolhas, expectativas e motivações das pessoas, alterando completamente a qualidade dos relacionamentos e provocando desgastes e perda de energia.

As cinco gerações que convivem atualmente manifestam influências mútuas e possuem peculiaridades fundamentais que afetam o relacionamento e provocam, em muitos casos, omissão e apatia nas gerações mais experientes, estabelecendo um grande vazio na formação das novas.

E é no relacionamento entre as gerações que está a chave para o resgate do equilíbrio necessário para estes novos tempos.

TRÊS

COMPORTAMENTOS

Sucesso significa realizar seus próprios sonhos, cantar sua própria canção, dançar sua própria dança, criar do seu coração e apreciar a jornada, confiando que, não importa o que aconteça, tudo ficará bem. Crie sua própria aventura!

ELANA LINDQUIST
(artista plástica)

:: Estereótipos

Fazer questionamentos constantemente, demonstrar ansiedade e impaciência em quase todas as situações, desenvolver ideias e pensamentos com superficialidade, buscar viver com intensidade cada experiência, ser transitório e ambíguo em suas decisões e escolhas – essas são algumas das principais características atribuídas à *Geração Y*. Contudo, é necessário nos aprofundarmos um pouco mais nesses comportamentos para evitar julgamentos precoces baseados em estereótipos.

Alguns comportamentos caracterizam essa geração com mais propriedade, como a necessidade de constante reconhecimento, a opção por padrões informais e flexíveis, a individualidade como forma de expressão e a busca intensa por ampliação da rede de relacionamentos.

Reconhecimento

Se pudéssemos resumir todas as expectativas dos jovens em uma palavra, ela seria **reconhecimento**. Essa geração aprendeu desde cedo a receber *feedback* de tudo o que fazia, sendo incentivada a superar suas próprias realizações e a se diferenciar das demais crianças. Pais estimulavam e elogiavam seus filhos quando eram bem-sucedidos na escola e, de certo modo, toleravam pequenas falhas, sem que isso significasse concordância com resultados ruins. Na verdade, sempre que possível, estavam pressionando para que os jovens pudessem recuperar qualquer prejuízo; e, caso fossem bem-sucedidos, certamente seriam recompensados. Aliás, a indústria do entretenimento logo absorveu esse processo e desenvolveu *videogames* totalmente voltados para o conceito de reconhecimento por recompensas. Como resultado, temos hoje um jovem impaciente, que deseja saber constantemente a avaliação que as pessoas fazem de suas ações.

Isso com certeza afeta o desempenho da *Geração Y* no ambiente de trabalho, onde ela encontra gestores que se desenvolveram sem receber *feedback* e, portanto, nem sempre estão dispostos a dá-lo, pois acreditam que o jovem não precisa disso para trabalhar bem.

Informalidade

A informalidade é uma característica que sempre acompanhou os jovens. Nas gerações *baby boomer* e *X*, esse comportamento era adotado como forma de contestação e até rebeldia à ordem estabelecida, muitas vezes associado à ideia de liberdade individual. Foi no modo de vestir que a informalidade se tornou mais visível para essas gerações. Ficou famosa a frase publicitária que dizia: "Liberdade é ter uma calça velha, azul e desbotada".

Normalmente, um jovem nos anos 1970 e 1980 usava na escola um uniforme ou avental que eram obrigatórios. No ambiente de trabalho a roupa deveria ser sóbria e social; em alguns casos, a gravata era um acessório imposto pela empresa. Qualquer manifestação que fugisse a essa regra era severamente criticada. Era comum que a forma de se vestir de um jovem fosse associada a suas capacidades e habilidades, ou seja, quanto mais próximo do padrão fosse seu comportamento, mais competente e responsável ele seria.

Hoje, com os jovens *baby boomers* e *X* já adultos, esse conceito é um legado que provoca distorções na avaliação de competências e habilidades dos jovens da *Geração Y* – que, por sua vez, considera a informalidade de maneira diferente, substituindo a valorização da liberdade por **flexibilidade** e **conveniência** em seu comportamento.

Segundo pesquisa da Cia. de Talentos – Empresa dos Sonhos 2009, realizada com mais de 29 mil jovens na América Latina –, um dos principais motivos para escolher uma empresa na qual trabalhar é um ambiente agradável, que não intimida, mas promove o bem-estar e o respeito, no qual o trabalho é quase um lazer com constante movimento criativo e um bom relacionamento com os colegas.

Não é surpresa, portanto, que jovens profissionais estejam realizando projetos fantásticos em empresas cada vez mais flexíveis e informais, seja na forma de vestir, nos horários ou no ambiente de trabalho.

Individualidade

Esse é um dos comportamentos mais claros na *Geração Y* e o que mais sofreu influência das gerações anteriores, que tiveram um papel determinante no desenvolvimento dessa atitude que muitas vezes se confunde com egoísmo e arrogância.

Na infância, as gerações *baby boomers* e *X* desenvolveram suas habilidades sociais por meio de jogos e brincadeiras coletivas e viveram em residências onde precisavam compartilhar, com seus pais e irmãos, recursos como dormitórios, roupas e brinquedos, além de conviver em ambientes onde havia um único banheiro para todos, um aparelho telefônico e apenas uma TV, estes últimos normalmente na sala da casa.

Nos últimos anos, a dinâmica de vida que essas gerações adotaram proporcionou um cenário favorável ao desenvolvimento acentuado da individualidade do jovem da *Geração Y*.

A decisão de focar cada vez mais a realização profissional, sob o pretexto de proporcionar condições melhores que as vividas na própria infância, levou os pais a optar por uma quantidade pequena de filhos e a buscar constantemente condições financeiras mais favoráveis. Foi assim que grande parte dos jovens da *Geração Y* teve à sua disposição quartos individuais com muitas facilidades tecnológicas como TV, *videogame*, telefone e, mais recentemente, computador e internet.

Um paradoxo criado por toda essa ampla tecnologia foi que, ao privilegiar a ação individual e não a coletiva, os jovens Y desenvolveram uma necessidade de compartilhar parte de sua vida por meio das redes sociais.

Relacionamentos

A *Geração Y* é a mais conectada da história da humanidade e sabe usufruir de toda tecnologia para obter relacionamentos mais numerosos e intensos. Não se trata de estabelecer comparação entre relacionamentos profundos ou superficiais, mas sim de amplitude.

O mundo para esses jovens é muito menor. As barreiras do idioma são facilmente superadas pela maior intimidade com a língua inglesa, que é amplamente utilizada na internet. Mesmo quando não se conhece o idioma – qualquer que seja –, pode-se recorrer aos tradutores universais disponíveis gratuitamente em sites como o Google.

Conhecer pessoas de outras nacionalidades se tornou um passatempo comum, pois as redes sociais estão conseguindo universalizar todos os relacionamentos humanos. Segundo pesquisa da E.Life – empresa de inteligência de mercado e gestão do relacionamento em redes sociais –, 59,1% dos jovens passam mais de trinta horas semanais on-line em sites de redes sociais, utilizados principalmente para obter informações, notícias e manter contato com amigos. Na pesquisa fica evidente a grande preferência por sites como Orkut, Twitter e Facebook, além do comunicador instantâneo MSN – todas essas ferramentas com adesão acima de 70% dos jovens.

Outro fato interessante na pesquisa foi a grande quantidade de blogs desenvolvidos pelos jovens – 65,5% dos pesquisados possuem um blog –, registrando uma tendência em desenvolver o próprio conteúdo para estimular novos relacionamentos.

:: Expectativas

Todos esses comportamentos compõem um cenário bastante complexo nos dias atuais, com a *Geração Y* chegando mais intensamente ao mercado de trabalho.

As grandes expectativas dos pais em ver os resultados de todo investimento realizado em seus filhos, a maior exigência de formação acadêmica feita pelas empresas e a pouca disposição dos gestores em aceitar os comportamentos dos jovens da *Geração Y* têm provocado uma pressão intensa, refletindo no aumento considerável de rotatividade nos empregos e na redução significativa na formação de novos líderes.

Um aspecto amplamente pesquisado pela Cia. de Talentos – Empresa dos Sonhos 2009 foram: as expectativas dos jovens com relação à empresa em que desejariam trabalhar e as principais características que esperavam de seu gestor. Os resultados foram muito coerentes com os comportamentos dos jovens da *Geração Y*.

Sobre os motivos de escolha de uma empresa:

1 • Crescimento de carreira:
- › Reconhecimento.
- › Melhores posições.
- › Estabilidade financeira e emocional.
- › Assumir desafios.

2 • Desenvolvimento profissional:
- › Conhecimento.
- › Experiência.
- › Aprendizado de novas técnicas.

› Tornar-se mais capacitado.
› Assumir grandes responsabilidades.

3 • Ambiente de trabalho agradável:
› Não intimida.
› Proporciona bem-estar.
› Trabalho é quase um lazer.
› Constante criação.
› Respeito.
› Bom relacionamento com os colegas.

4 • Bons salários e benefícios:
› Maior responsabilidade, maior salário.
› Salário compatível com o cargo.
› Estabilidade financeira e segurança.
› Reconhecimento pelo que faz.

5 • Oferece cursos e treinamentos:
› Crescer junto com a empresa.
› Melhor ferramenta para o crescimento.
› Aperfeiçoamento na área de trabalho.

Sobre as principais características que esperam de um gestor:

› Conhecer o negócio da empresa.
› Oferecer *feedback* constante.

› Saber definir prioridades.
› Desenvolver os profissionais de sua equipe.
› Respeitar e estimular o talento individual.
› Ser objetivo e claro em suas diretrizes.

Esses dados demonstram a importância de estabelecermos novas premissas que auxiliem na integração das gerações, permitindo o desenvolvimento de uma nova geração de líderes.

QUATRO

LIMITES

Nossos pensamentos e nossa imaginação são os únicos limites reais para nossas possibilidades.

ORISON S. MARDEN
(médico e escritor)

:: Modelos

DIVERSAS INICIATIVAS DE ONGS e de outras entidades, inclusive públicas, estão gerando ações de inclusão digital, pois já está evidente que os jovens de todas as classes sociais precisam estar preparados para o mundo de possibilidades da internet. Mas grandes equívocos ainda são cometidos nas decisões e escolhas feitas por pais, professores e gestores nos dias de hoje.

Sociólogos, psicólogos e outros educadores fazem constantemente afirmações discriminatórias sobre determinados comportamentos observados na *Geração Y*. Justificam seus julgamentos, utilizam exemplos extremos e negativos para, de alguma forma, profetizar a decadência da juventude, o fim dos valores e dos princípios, a morte da virtude nas novas gerações. Usam a "ciência do retrovisor", olhando para os próprios modelos de juventude para determinar valores para as novas gerações. Esse equívoco já foi cometido por nossos pais, e nós estamos repetindo o erro.

Cenas idênticas ocorreram há vinte anos, quando cientistas sociais criticavam ostensivamente pais que permitiam aos filhos ficar mais de duas horas em frente à TV. Eles afirmavam que acima desse tempo o cérebro da criança entraria em colapso. Relatavam inclusive casos de epilepsia e autismo associados à exposição excessiva à TV. Isso sem contar os exemplos dados de casos dramáticos, nos quais normalmente ligavam comportamentos psicóticos a determinados programas e filmes e alertavam que a violência transmitida estaria tornando os jovens mais agressivos.

No Brasil, durante o período de ditadura militar, esses julgamentos adquiriram contornos patéticos, provocados pela censura. A programação era barbaramente modificada, o conteúdo dos filmes, desenhos, novelas e seriados era arbitrariamente alterado, e até o sentido do que os autores pretendiam transmitir era mudado.

Alguns pais chegaram a instalar em seus aparelhos de TV controladores de tempo que desligavam o aparelho em horários predeterminados. Posteriormente, os fabricantes incorporaram esse dispositivo nos novos aparelhos de TV, apresentando o acessório como um instrumento de comodidade – caso o espectador dormisse em frente ao aparelho, este desligaria sozinho.

Para não ficar apenas no exemplo da TV, basta lembrar dos telefones analógicos com discos giratórios de números. Diversos pais e gestores de empresas adotaram cadeados para controlar as ligações que os jovens faziam. Somente depois de algum tempo descobriram que os jovens haviam desenvolvido um método para discar o número e fazer a ligação mesmo com o cadeado. E, em vez de aceitar que os jovens desejavam se conectar, os pais e gestores decidiram sofisticar o cadeado, adotando bloqueadores eletrônicos, fazendo que os aparelhos com teclas fossem comprados em larga escala.

Controle é uma forma de manter as coisas como estão e obter resultados conhecidos. Mas é preciso refletir com mais profundidade a esse respeito. Primeiro, devemos lembrar que os jovens da *Geração Y* são criados essencialmente por pais da *Geração X*, que, por sua vez, foram educados nos modelos ultradisciplinados vividos pelos *baby boomers*, ou seja, baseados em rígidos controles e normas.

O modelo de desenvolvimento humano que mais se aplica à *Geração Y*, ironicamente, foi desenvolvido para a *Geração X*, mas poucos gestores e pais conseguiram compreender a validade desse modelo, e hoje têm dificuldade de utilizá-lo de forma prática.

Chris Argyris, professor de Comportamento Educacional e Organizacional na Harvard University, propôs em 1978 o modelo de gestão baseado nos princípios de MATURIDADE. O modelo é simples e considera que, quanto maior a maturidade de uma pessoa, menor a necessidade de controle sobre ela, valendo também o oposto.

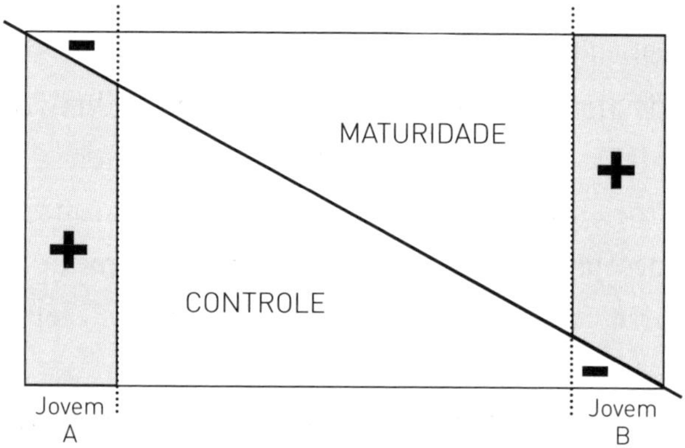

Esse modelo simplificado da teoria de Chris Argyris sustenta todo processo educacional, por seu pragmatismo e sua objetividade. Podemos observá-lo em ação quando consideramos a educação primária de uma criança. Ao atingir seu primeiro ano de vida, ela já está habilitada para algumas tarefas, ou seja, possui ferramentas que lhe possibilitam executar algumas coisas. Sendo uma criança normal, ela possui mãos, portanto está apta a segurar e manusear objetos, o que faz incessantemente, motivada por sua sede de aprendizado. Contudo, se ela estiver segurando um objeto que possa provocar danos físicos, como uma faca, obviamente os pais exercerão um grande controle sobre a criança, pois ela ainda não tem maturidade para entender os perigos que aquele objeto oferece.

Como os pais entendem que os filhos precisam aprender a manusear esses objetos, com o tempo começam a ensiná-los pacientemente, procurando aumentar a maturidade e diminuir o controle. À medida que cresce, portanto, a criança adquire maturidade para essa tarefa e o controle que os pais exercem sobre ela certamente é reduzido. Aliás, se isso não acontecer, provavelmente surgirão desconfortos no relacionamento – afinal, um adulto não gostaria de ter os pais controlando sua forma de usar uma faca.

Ainda me recordo da cena: minha mãe segurando a faca em minha mão, me ensinando a cortar bife durante as refeições. Não foram poucas as vezes que arranhei o fundo do prato, produzindo um constrangedor ruído quando estava orgulhosamente usando aquele objeto sozinho. Lembro inclusive de treinar escondido, quando minha mãe não estava observando. Com a faca, produzi diversas fatias de pão – e alguns cortes na mão também.

Esse é o processo mais comum de aprendizagem. O princípio do "Aprender com os próprios erros", que é simples e prático, mas não o que acontece com mais frequência atualmente. Nossa sociedade é extremamente focada em resultados, e de alguma forma os erros perderam sua nobre condição de aprendizado, dando lugar a um processo cruel de punição.

Questiono com frequência gerentes e líderes sobre a primeira pergunta feita em suas empresas quando um erro, uma falha, acontece. Invariavelmente, a resposta que escuto é: quem cometeu a falha? A consequência natural dessa pergunta reflete uma provável reação de autopreservação, ou seja, qualquer pessoa que for acusada pela falha tenderá a transferir a responsabilidade para outra pessoa. Jamais admitir, a menos que seja inevitável.

Na *Geração X*, inclusive, foi produzido um modelo para determinar ações possíveis caso você seja "flagrado" em uma falha. A ideia é eventualmente escapar da punição. O modelo é o seguinte:

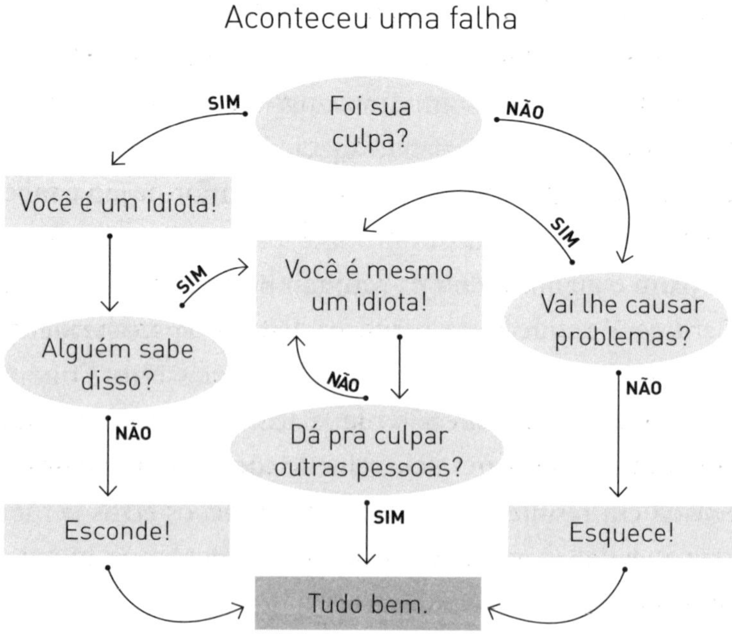

Claro que esse tipo de comportamento demonstra uma maturidade bem pequena e, portanto, justifica-se a necessidade de maior controle. Mas o fato é que para exercer controle os gestores começaram a reter informações. Aliás, a premissa mais comum era: "Quem tem a informação tem o poder". Muitos gestores e pais desenvolveram seus modelos de liderança apoiados nessa premissa.

Durante muito tempo ouvimos pais dizendo a seus filhos: "Não vou lhe explicar o motivo desta minha decisão; quando você crescer, irá entender" – quebrando qualquer chance de uma relação mais transparente. Alguns gestores também entendem que reter informações é vital para o exercício da autoridade, afinal isso faz que os subordinados nunca estejam preparados para nada.

Devemos lembrar que o modelo de autoridade baseado no poder pela posse da informação se tornou frágil, pois, como concluímos até agora, a *Geração Y* tem um acesso quase que ilimitado a qualquer informação e sabe como acessá-la.

Um erro bastante frequente na educação e gestão da *Geração Y* reside justamente na leitura de maturidade, quando, equivocadamente, consideramos todos os jovens pela mesma medida de maturidade. Certamente provocamos omissões pela falta de controle em algumas situações e controlamos aspectos desnecessários, o que traz inevitáveis consequências para o desenvolvimento desses jovens.

Tratamento dado à Geração Y

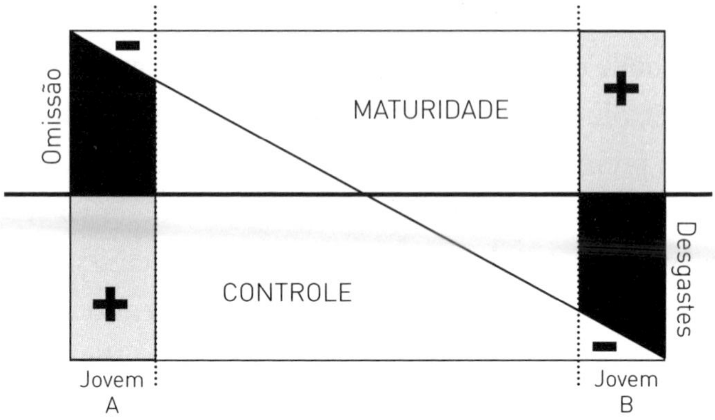

O tratamento uniforme dado a todos os jovens provoca situações como estas:

O **jovem A** necessita de maior controle, pois sua maturidade ainda é pequena. A omissão provocada pela falta de controle causa novas falhas e, em decorrência disso, esse jovem vai acionar mais mecanismos de proteção contra punições, ou seja, negará sua responsabilidade pelo evento e, inevitavelmente, retardará seu processo de amadurecimento.

O **jovem B** terá dificuldades em aceitar um controle além do que necessita e ficará desmotivado, principalmente por entender que não há confiança por parte de seus pais, gestores e líderes. Naturalmente, esse jovem buscará caminhos alternativos para sair dessa situação.

Podemos observar isso atualmente na quantidade de jovens que optam por morar sozinhos ou com amigos, saindo da casa dos pais e escapando da autoridade. Isso também está acontecendo nas empresas, onde a rotatividade tornou muito mais complexa a tarefa de reter jovens talentos.

:: Percepções

Há algum tempo liderei um departamento em uma grande corporação. A empresa atuava em um ramo extremamente regulamentado por normas governamentais, possuía mais de mil filiais no Brasil e no exterior e tinha outros milhares de funcionários em sua folha de pagamentos.

O objetivo formal do departamento era cuidar da divulgação de todas as normas e procedimentos, publicando manuais elaborados por criteriosos estudos das rotinas e da legislação (era o antigo departamento de Organização e Métodos).

A missão que recebi da presidência era transformar completamente o departamento: renovar a forma de comunicação interna da empresa e, principalmente, promover mudanças profundas nas rotinas da organização, alterando processos para que pudessem representar redução de custos. Recebendo autonomia para promover tais mudanças, iniciei o trabalho entrevistando minha equipe, composta de sessenta pessoas. Identifiquei diversos perfis de profissionais – e também muita insatisfação com o trabalho. Decidi facilitar a transferência dos insatisfeitos para que eu tivesse apenas pessoas engajadas na nova missão.

Com a equipe equilibrada, percebi que, mesmo estando motivados e alinhados com as mudanças que deveríamos promover na organização, poucas propostas inovadoras e transformadoras realmente surgiam do time. Minha sensação era de que a equipe não tinha referências sobre o tipo de mudanças esperadas. Decidi, então, montar uma equipe híbrida inserindo um time formado por cinco jovens talentosos, com ótimo grau de instrução, muita criatividade, muita vontade e absolutamente nenhuma experiência na área. Precisei negociar muito com o departamento de pessoal para trazê-los para o meu departamento. Era meu primeiro time *Geração Y*.

Intencionalmente posicionei o "time Y", como decidi batizá-lo, no centro de nosso escritório, em uma sala separada por divisórias de vidro, para que todos pudessem observá-los.

Instruí o "time Y" a ocupar metade do tempo em atividades de pesquisa, como leituras de livros e revistas, durante o horário de trabalho. Eventualmente promovia sessões de cinema para assistir a vídeos de filmes comerciais. A outra metade do tempo eles deveriam ocupar com visitas a outras áreas da empresa, com o objetivo de conhecer todos os detalhes dos processos e conversar com os profissionais. Para todas essas atividades eles teriam liberdade total. Não teriam nenhum limite de conduta, horários ou conteúdo; poderiam, inclusive, ler revistas em quadrinhos (o que de fato fizeram).

A reação inicial dos outros profissionais do departamento foi de rejeição total ao "time Y". Aos olhos deles, o time era formado por um grupo de pessoas "protegidas" pelo chefe, que não produziam nada de útil e ainda ficavam lendo revistas e assistindo a filmes. Alguns membros do "time Y" também se sentiam constrangidos e me questionavam se poderiam executar outras tarefas, para que não fossem discriminados pelo pessoal do departamento.

O desconforto foi temporário porque depois de três meses agindo dessa forma o "time Y" estava pronto para ter ideias; e foram desafiados. Cada um dos cinco jovens deveria apresentar, em trinta dias, uma ideia inovadora que transformasse alguma área da empresa de modo a obter resultados financeiros relevantes, mais precisamente com relação à redução de custos, já que não poderia desafiá-los a criar produtos novos.

Terminado o prazo, pedi a cada membro do "time Y" que fizesse uma apresentação de seu projeto aos demais colegas de departamento, que não apenas assistiriam, mas precisariam aprová-lo antes que fosse apresentado ao restante da empresa. O combinado era que, caso o departamento não aprovasse o projeto, o "time Y" teria de reformular completamente o projeto ou apresentar um novo.

Todos os projetos estavam bem elaborados e bem defendidos e foram aprovados por todo o departamento. E a empresa economizou vários milhões de dólares com a implantação das cinco ideias.

O que se destacou para mim não foi o fato de jovens talentosos conseguirem apresentar projetos inteligentes e de sucesso, mas sim o comportamento que eles adotaram durante esse período de aprendizado e preparação das apresentações. Por estarem inicialmente isolados dos demais colegas do departamento, eles desenvolveram um espírito de equipe incomum, em que um ajudava o outro, de modo que foram cinco projetos apresentados por todos do grupo, sem que ninguém se destacasse. As tarefas de pesquisa foram compartilhadas, e não demorou muito para o próprio "time Y" solicitar a retirada das divisórias de vidro, abrindo espaço para a colaboração de outros colegas do departamento.

Terminada a implantação dos projetos, cada um dos integrantes do "time Y" foi incorporado às demais áreas, facilitando o "contágio" do departamento com o espírito de mudança. No final de um ano, em nossa festa de confraternização, podíamos afirmar com segurança que todos eram do "time Y" e, juntos, havíamos promovido as principais e mais impactantes mudanças naquela empresa.

Atualmente, os cinco jovens exercem funções de alta-gerência em grandes corporações – um deles, inclusive, assumiu a minha diretoria depois de algum tempo.

O aprendizado que extraí desse episódio sedimentou a necessidade de quebra de paradigmas com relação aos modelos de liderança que havia adotado até aquele momento. Os limites que impomos aos jovens estavam sendo contestados em minha mente. Reavaliar a imposição de limites às atitudes dos mais jovens é uma maneira de equilibrar a equação do controle e da maturidade.

Sentimos um grande temor de delegar aos jovens suas próprias escolhas, pois rejeitamos a ideia de permitir falhas – e com isso, na maioria das vezes, subestimamos a maturidade deles. Vale ressaltar que a *Geração X* é a primeira a buscar incansavelmente a aprovação das gerações anteriores.

A *Geração Y* é jovem, o que significa estar em fase de transição e, consequentemente, ser contraditória em suas atitudes e escolhas. As referências e modelos apresentados por seus pais oscilam de forma radical.

Existem pais superprotetores que fazem as escolhas e assumem as responsabilidades no lugar dos filhos; outros são omissos e ausentes por conta de suas atividades; e ainda há aqueles que não querem assumir o papel e a autoridade de pais, preferindo se posicionar ao lado dos filhos como "amigos", buscando resolver expectativas pessoais de ser "jovens eternos".

Tantas circunstâncias tornam extremamente complexa a tarefa de fixar um modelo ao qual os jovens possam aspirar para a vida adulta. Como resultado, eles adiam as escolhas que poderiam levá-los à maturidade.

Os líderes devem priorizar o aprendizado das crianças, não limitar esse desenvolvimento criando bloqueios, controles, limites. Não podemos ter dúvidas quanto a um fator: cortar o acesso não impedirá os jovens de buscar outro caminho para determinado fim. Lembre-se do caso do cadeado nos telefones; nós também achamos um caminho.

Nada é mais nocivo para o crescimento e o futuro de um jovem do que impedi-lo de adquirir toda a intimidade possível com as novas tecnologias. Os pais, gestores e professores devem rever com urgência seus próprios limites, esforçando-se para aprender rapidamente a utilizar as novas ferramentas. Descobrir o que atrai tanto os jovens da *Geração Y* em sites de relacionamento, em comunicadores instantâneos e em celulares é um bom começo.

No passado os "conflitos entre gerações" ocorriam entre avós e netos, que tinham entre si uma diferença de cinquenta anos. Hoje o conflito ocorre entre pais e filhos, com uma diferença de vinte anos, e tudo acontece simultaneamente, pois as coisas se transformam com uma velocidade muito grande, tudo se torna antiquado muito rapidamente. Os esforços para se adaptar a esses novos cenários devem ser feitos por todas as gerações de líderes, pais e jovens.

Esses fatos são agravados quando se observa a crescente busca por mundos virtuais em que os jovens podem criar seus próprios códigos e agir segundo seus próprios modelos. Os jovens da *Geração Y* necessitam de referenciais baseados em valores e não em julgamentos e regras. Eles estão carentes de orientação, de valores, de afeto real, que só podem ser alcançados por meio do **diálogo verdadeiro**, da negociação de expectativas de ambas as partes. A omissão nessa situação facilitará a realização das "profecias apocalípticas" que exaltam o "lado negro" da *Geração Y*.

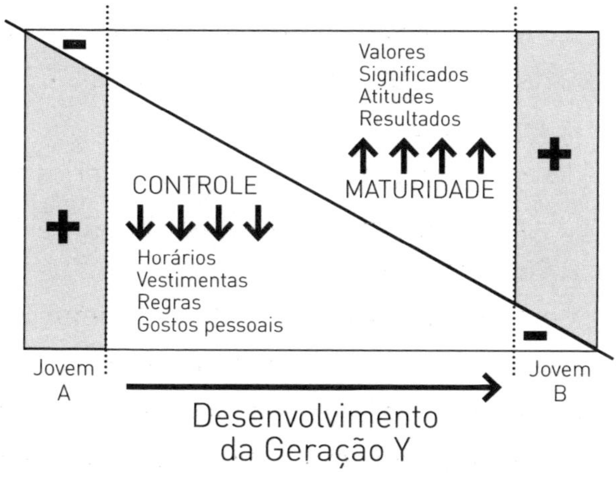

Nosso maior desafio como líderes desses jovens é decifrar esse aparente enigma, reduzindo nossas expectativas quanto às regras de controle como horários, forma de vestir, forma de fazer as coisas e dando a devida importância aos **significados** de cada escolha que eles fazem, aos **valores de vida** que realmente estão nesses significados e aos **resultados** e **consequências** que suas escolhas proporcionarão no futuro.

CINCO

CHAMANDO A ATENÇÃO

Frequentemente subestimamos o poder de um toque, um sorriso, uma palavra gentil, um ouvido à disposição, um elogio sincero, ou o menor ato de atenção, tudo aquilo que tem potencial para mudar a vida ao nosso redor.

LEO BUSCAGLIA
(escritor)

: : Buscando conexão

Iniciei minha carreira profissional precocemente, influenciado em especial por meus pais que sempre valorizaram o trabalho e a disciplina como principais atributos do ser humano digno. Meu pai me apresentou à empresa em que já trabalhava havia quinze anos, e foi lá que obtive minhas primeiras experiências de emancipação como jovem.

O ambiente era extremamente estruturado e normatizado, mas não me causava desconforto, pois não se diferenciava muito de minha casa. Acredito, inclusive, que esses fatores facilitaram minha rápida adaptação e, por conseguinte, o desenvolvimento acelerado de minha carreira naquela empresa.

Depois de cinco anos de trabalho em diversas posições, reuni condições para me candidatar ao cargo de gerente, mas não foi simples. Precisei ter muita paciência e ser muito insistente para participar dos exames de seleção promovidos pela corporação.

Foram três tentativas frustradas, até que, na última, meu gestor exigiu um acordo prévio antes de me liberar para participar da seleção novamente. Ele sempre dizia que eu era teimoso, ansioso, impaciente e até um pouco arrogante, pois não tinha idade para ser gerente.

Então me fez prometer que aquela seria a última tentativa; se não fosse aprovado, deveria esperar pelo menos três anos antes de tentar novamente. Imaginei que havia um sentimento de ciúmes por trás daquele acordo, que ele teria levado um tempo bem maior para alcançar a gerência e agora achava injusto eu conquistar o mesmo cargo de forma tão precoce.

O prazo me pareceu uma eternidade; fiquei deprimido, indignado, triste. Não conseguia entender por que meu líder estava agindo de modo tão radical. Senti-me vulnerável aos caprichos de um gestor inseguro e egoísta. Minha motivação se enfraqueceu e, pela primeira vez, considerei procurar outro emprego.

A verdade era que ele estava muito incomodado com a possibilidade de eu ser aprovado e acabar saindo de sua equipe para cumprir o novo desafio, o que de fato aconteceu, pois me empenhei tanto nos exames de seleção que fui aprovado. Essa experiência sedimentou o meu desejo de jamais agir dessa forma com minha equipe, principalmente com os jovens.

Ser gerente e depois assumir outras posições de liderança me trouxe novas experiências desafiadoras, principalmente as que se referiam à gestão de equipes. Mas foi apenas após duas décadas trabalhando em empresas extremamente estruturadas por normas e regulamentos que tive a oportunidade, e talvez a necessidade, de destruir todos os meus paradigmas de liderança.

A primeira aventura como empreendedor em que me envolvi foi em um ramo de atividade bastante novo na época. Tratava-se de uma empresa para explorar a internet, que, apesar de existir há algum tempo, não era comercialmente conhecida e popular como hoje. Não havia muitas empresas atuando nessa área, por isso também não existiam modelos de gestão sedimentados que fossem considerados mais adequados ou de maior sucesso.

As iniciativas mais divulgadas eram de empresas formadas em pequenas garagens por jovens criativos e revolucionários, inspirados principalmente pelas primeiras empresas de sucesso geradas na recém-nascida indústria da informática, com seus jovens ícones Steve Jobs e Bill Gates, respectivamente da Apple Computers e Microsoft Systems.

A pequena empresa que fundei com um amigo escapava a todos os modelos que eu conhecia até então, começando pela peculiar forma que eu e meu sócio adotamos de nos relacionar no primeiro ano de funcionamento. Ele era alguns anos mais novo que eu, tinha uma simpática esposa que estava grávida de seu primeiro filho e possuía pouca experiência corporativa. Estudava Ciência da Computação na Brigham Young University, em uma pequena cidade em Utah, Estados Unidos. Conhecemo-nos durante uma visita que ele fez ao Brasil, em suas férias escolares. Eu ainda era executivo na empresa em que iniciara minha carreira.

A internet era apenas uma curiosidade no mundo corporativo, mas tanto ele como eu já nos aventurávamos pelos canais virtuais havia algum tempo, e isso criou uma identidade para nossa amizade se consolidar. Depois que ele retornou aos Estados Unidos, continuamos nossas conversas por e-mail e pelo recém-lançado ICQ, o primeiro comunicador instantâneo da internet. Tivemos a ideia de criar um sistema de buscas para a internet brasileira – nos moldes do Yahoo!, que surgira havia poucos meses. Não tínhamos capital para montar uma sede ou mesmo contratar funcionários. A “empresa” teria de começar somente com os dois sócios, separados por milhares de quilômetros e quatro horas de fuso horário, em um tempo em que ligações telefônicas internacionais eram extremamente caras.

Depois de quase dois anos funcionando virtualmente, conquistamos uma posição importante na internet brasileira. Conseguimos reunir recursos para montar um escritório e contratar nossa primeira equipe formal, pois até aquele momento trabalhávamos com *freelancers*, remotamente, todos gerenciados via e-mails e comunicadores instantâneos.

Nossa equipe começou a ser formada da maneira mais orgânica possível. Conhecemos nosso primeiro funcionário virtualmente, por indicação de outros programadores. Quando ele apareceu no escritório, eu particularmente me senti bastante desafiado a não fazer qualquer julgamento. Era um rapaz de pouco mais de 15 anos que veio para a entrevista com uma mochila nas costas, como quem acabou de chegar da escola, bermuda, camiseta de roqueiro e fones nos ouvidos, mascando chiclete. Eu não estava levando muito a sério aquela entrevista. Mesmo que o rapazinho fosse um gênio na computação, deveria se apresentar de maneira menos informal, afinal éramos um empresa séria.

Na conversa, percebi que ele era inteligente e curioso, mas não tinha nenhuma experiência em programação. Não possuía nenhum curso de tecnologia e cursava o colegial. Se não fosse a insistência de meu sócio em contratá-lo, jamais teria entendido o que estava acontecendo com as novas gerações e provavelmente minha atitude seria muito semelhante àquela que me envolveu na juventude.

O rapaz se mostrou um gênio na computação e foi crucial para nos ajudar a montar toda a equipe técnica, que sistematicamente passou a ser formada por colegas dele – com características pessoais mais diversas ainda.

Incrivelmente, todos os colegas indicados e contratados se mostraram tão habilidosos quanto nosso primeiro funcionário, o que me levou a observá-los com mais atenção. Algo diferente estava acontecendo com essa turma de jovens que chegava ao mercado de trabalho. Eles demonstravam algumas características bem mais intensas do que outras equipes que havia liderado. Até mesmo quando tentei compará-los com aquela equipe especial de jovens do "time Y" (Capítulo 4), não achei referenciais suficientes, pois essa nova equipe era bem diferente.

Eles demonstravam muita ansiedade por realizar tarefas; algumas vezes, eu os questionava com certa ironia, pois agiam como se o mundo estivesse acabando. Dedicavam-se a tantas atividades simultâneas que era visível a superficialidade de suas opiniões a respeito de assuntos mais complexos.

Gastavam pouco tempo planejando as próprias decisões, e era constante a impaciência consigo e com os outros. Quando mergulhavam em alguma coisa, era por um curto espaço de tempo, mesmo que inicialmente fosse uma atividade interessante e útil para eles.

Tínhamos uma equipe formada por jovens espertos e ousados, que trabalhavam de bermuda e sandálias, ouvindo *rock'n roll* em seus fones de ouvido e jogando *videogames* portáteis enquanto seus computadores processavam alguma tarefa que eles haviam programado.

Eles gostavam dos desafios, eram rápidos e criativos, usavam os recursos tecnológicos para criar soluções para problemas que ainda nem haviam surgido e para uma atividade que estava nascendo na sociedade. Não tinham receio em mudar as coisas e alterar a realidade; ao contrário, isso era exatamente o que mais despertava a atenção deles. Tínhamos de manter o ambiente criativo, de pensamento independente para aproveitar todo o potencial desses jovens.

De forma inversa, a rotina tinha um efeito negativo na energia e motivação. A sensação era de que, uma vez dominado o desafio, o interesse pela atividade acabava quase que instantaneamente, o que tornava complexa a gestão da equipe.

Apesar de estarmos desenvolvendo novidades intensamente, muitas atividades tinham de ser padronizadas para que pudéssemos apresentar um modelo de negócio estruturado e, assim, vender nossos produtos. Caso contrário, seríamos apenas um excelente laboratório tecnológico criativo, mas destinado a fechar por falta de recursos.

Percebemos que outros jovens começaram a nos procurar oferecendo seu tempo, disposição e energia. Eles estavam em um estágio de desenvolvimento tecnológico inferior ao de nossa equipe, mas tinham garra e muita força de vontade. Isso facilitou nossa busca por uma solução para as questões de motivação da equipe.

Mesmo sabendo que seria por um tempo limitado, deixávamos as tarefas mais padronizadas para os novos funcionários, como uma forma de "pedágio" para chegarem a outras áreas na empresa. À medida que se desenvolviam e mostravam talento, eles eram desafiados em novas atividades, mas, para isso, precisavam se comprometer a manter suas rotinas.

Impressionantemente, a produtividade aumentava com essa situação, pois os jovens aceleravam a execução das tarefas "rotineiras" para ficar mais disponíveis para os novos desafios. Eles queriam crescer e tinham um senso de urgência incomum.

Uma característica que chamava a minha atenção era como eles gerenciavam o próprio tempo. Ainda que dedicassem muitas horas ao trabalho, não deixavam de fazer outras atividades, principalmente de lazer. Os horários na empresa sempre foram bastante flexíveis – não por minha escolha, confesso, pois ainda tinha alguns vícios de empresa tradicional. Eu continuava chegando cedo e saindo no final da tarde.

Lembro-me de uma conversa com meu sócio a respeito de disciplina e responsabilidade, quando tivemos de decidir sobre um horário padronizado para toda a equipe. O argumento era simples: se queríamos ser uma empresa séria, teríamos de agir como uma empresa séria. Ele concordou comigo e rapidamente comunicamos as normas de horários de trabalho na empresa. A reação foi muito boa. Todos na equipe elogiaram as novas regras. No novo modelo, poderiam se ajustar em suas outras atividades com mais antecedência. Lembro-me de um rapaz na equipe que manifestou sua alegria dizendo que agora poderia até fazer academia, pois sabia o horário de entrar e sair do escritório.

Essa reação me surpreendeu um pouco; não imaginava que eles gostariam de regras e disciplina. Lembrava com desconforto momentos em que tinha de parar de trabalhar na empresa anterior, porque havia uma regra determinando que após as 18 horas o trabalho deveria ser encerrado. A norma era tão rígida que as luzes eram apagadas para garantir que ninguém teria condições de fazer qualquer atividade após o horário. Com a implantação dos novos horários, mais uma vez fomos surpreendidos pelas características dessa geração de jovens. Rapidamente a produtividade da equipe diminuiu, o clima ficou mais triste e tenso no escritório. Pequenas discussões passaram a ter um peso muito maior e quase todos os dias pessoas brigavam por alguma coisa.

Não havia nenhum problema aparente; nada tinha mudado, exceto a política de horários. Porém, mesmo depois da implantação, ninguém havia reclamado. Chamamos todos para conversar. Questionamos os motivos do incômodo generalizado. Eles não souberam responder, adotaram uma postura silenciosa e submissa, sem nos apresentar qualquer indicação de problemas. Havia um clima estranho na empresa.

Em conversas individuais que tive posteriormente com cada um dos jovens, comecei a perceber que todos estavam muito contentes na empresa, mas haviam perdido a capacidade de conexão entre eles. Aparentemente era um paradoxo, pois agora todos estavam muito mais próximos e conectados. Com os horários flexíveis de antes, muitos na equipe não se encontravam durante o dia. Alguns chegavam e saíam do escritório bem cedo, enquanto outros faziam o contrário, chegando tarde e ficando até o final da noite. Isso acontecia espontaneamente, afinal nossa atividade não exigia que se trabalhasse em esquema de turnos e plantão. Agora todos se encontravam durante muito mais tempo todos os dias. Podiam conversar muito mais, sem precisar deixar "recados" para o dia seguinte.

Mas a conclusão foi uma só: a nova política de horários havia alterado completamente a identidade da equipe. Antes tínhamos funcionários que chegavam bem cedo para trabalhar e focavam em suas tarefas rotineiras, ficando disponíveis para novos desafios durante o dia. Também tínhamos os funcionários que ficavam até muito mais tarde no escritório desenvolvendo novas soluções, aproveitando o silêncio e a tranquilidade noturnos.

Quando ajustamos os horários, eliminamos essas possibilidades e a pressão das próprias atividades passou a conduzir a rotina de toda a equipe, criando um clima tenso e frustrante. A solução foi abandonar a "política de horários" e nos concentrarmos apenas nos resultados esperados de cada funcionário.

Timidamente, os jovens voltaram a flexibilizar seus horários. Aparentemente a disciplina transmitia uma sensação de segurança que eles apreciavam, mas o preço de perder a espontaneidade e a flexibilidade para novas possibilidades afetavam o humor e a motivação. Posso concluir que eles gostavam de trabalhar, mas não deixavam que o trabalho tomasse conta de suas vidas.

Com essa equipe crescemos de forma exponencial. Chegamos a ser uma das principais e mais influentes empresas na internet. Isso nos projetou internacionalmente e, após intensas negociações com diversas empresas americanas interessadas em entrar no mercado brasileiro, acabamos vendendo a empresa e todos fomos contratados para trabalhar na multinacional de tecnologia.

Durante as negociações, ficou evidente para mim e para meus sócios que os principais atrativos para nossos compradores eram a marca que criamos e a equipe que havíamos desenvolvido. Todos que demonstraram interesse foram contratados pelo dobro do salário que pagávamos e com direito a uma infraestrutura ainda mais complexa e desafiadora. Aquele nosso "primeiro funcionário" foi transferido para Miami pouco tempo depois e hoje é um dos mais respeitados programadores no mundo da internet norte-americana.

:: Questionar, questionar, questionar

O comentário que mais ouço de pais e gestores a respeito da *Geração Y* é: "Por que essa geração pergunta tanto?"

Certa vez, conversei com um experiente executivo sobre isso. Ele dizia que esse comportamento era extremamente irritante. Muitos conflitos com seus subordinados aconteciam exatamente por questionarem constantemente suas decisões. Comentou como era difícil adotar um comportamento sereno quando os próprios subordinados colocavam em dúvida a capacidade dele de liderá-los. Ele desenvolveu sua liderança de acordo com modelos mais estruturados, com papéis bem definidos e uma ordem hierárquica clara. Aprendeu desde cedo a jamais contestar seus "superiores".

Esse comportamento veio da educação recebida de seus pais – mais precisamente de seu pai, que exerceu forte influência em seu estilo de liderança. O pai do executivo foi um trabalhador honesto e extremamente fiel à empresa em que trabalhou durante quarenta anos. Sempre que percebia o filho em conflito com seus chefes, aconselhava: "Manda quem pode, obedece quem tem juízo".

Em nossa conversa, o executivo afirmou que não era esse tipo de líder, que era mais aberto, mais acessível que seus antigos chefes. Falava em tom de desabafo, pois tinha certo "trauma" de um antigo chefe que havia anulado sua opinião em uma reunião de forma humilhante.

Isso me lembrou outra frase muito usada por chefes nas organizações: "Você não é pago para pensar e sim para trabalhar".

Seus comentários, porém, demonstravam claramente um conflito pessoal, pois se avaliava como um líder moderno, mas não achava correta sua forma de atuação. Entendia que precisava ser flexível e transparente com sua equipe, mas considerava estar dando uma liberdade excessiva e perdendo sua autoridade com isso. Os questionamentos dos subordinados apenas reforçavam essa sua impressão. Mas perguntas precisam ser mais bem entendidas, pois são uma característica marcante na *Geração Y*.

Primeiro, precisamos considerar que **questionamento não é contestação ou desafio ao nosso conhecimento**. Quando um jovem da *Geração Y* está questionando, raramente ele está duvidando do conhecimento de seus "superiores hierárquicos", sejam pais, professores ou gestores.

Devemos lembrar que essa geração assumiu uma postura muito mais interativa na sua infância e se desenvolveu em um ambiente de constantes desafios, mesmo nos mais simples jogos de *videogames*. Para ela é muito importante interagir com o mundo que a cerca. Seus jovens buscam constantemente conexão com as coisas e as pessoas e, como não foram diretamente afetados pelos rígidos padrões disciplinares de seus pais, não desenvolveram premissas e preconceitos a respeito das hierarquias estabelecidas.

Eles consideram todo relacionamento um processo de integração, e de certa forma dão menos valor a cargos e posições sociais. Cresceram questionando seus pais a respeito de tudo e hoje questionam seus líderes nas escolas e nas empresas. Questionar é uma forma de se conectar!

Nossa postura diante disso deve ser mais clara e transparente. Devemos **dar atenção verdadeira** às questões que eles apresentam. Isso representa um desafio, principalmente para pessoas da *Geração X*, que desenvolveram uma postura competitiva e focada no trabalho e nos processos.

Os modelos de liderança adotados pelas empresas nos últimos trinta anos conduziram os gestores a focar apenas em processos e resultados. Os líderes foram pressionados, cobrados e preparados nessa direção. Da mesma forma, os pais se impuseram objetivos pessoais, focados nas mesmas dimensões. Suas carreiras e conquistas materiais foram mais privilegiadas e receberam maior atenção, tornando-os tolerantes em relação aos desejos e caprichos de seus filhos, mas omissos no estabelecimento de valores reais.

Poucos conseguem realmente dedicar um tempo nobre para entender a *Geração Y* e todas as suas singularidades.

Recentemente, ouvi um programa de rádio focado no público jovem. Os locutores faziam uma brincadeira de humor negro: convidaram uma jovem a ligar para seu pai durante o programa dizendo que estava grávida de um *motoboy*. A reação do pai foi absolutamente emocional; inicialmente, até tentou manter um diálogo, mas rapidamente perdeu a postura e iniciou uma série de agressões ao rapaz.

Quando a produção do programa percebeu que o homem poderia ter um problema de saúde, pediu à filha que entrasse na conversa e tentasse acalmá-lo. Ele só parou de falar depois que ela gritou "pai!" nove vezes seguidas e disse que tudo não passava de uma brincadeira. O pai desligou o telefone.

Muitas vezes esse tem sido o tipo de reação que a *Geração Y* recebe de seus gestores, de seus pais e de seus professores, que por terem mais experiência acreditam já conhecer o final de cada história e logo partem para a ação.

Inúmeras vezes, vi gestores dizendo que os jovens de hoje são arrogantes. Esse pensamento anula por completo a capacidade de **ouvir o que eles têm a dizer até o final**. Nitidamente, os jovens da *Geração Y* estão mudando muitas verdades que aprendemos em nossa juventude. Eles valorizam muito mais os relacionamentos, a conexão e a integração com as pessoas. **Querem respostas diretas e claras**, sem coisas subentendidas e obscuras. Exigem transparência de seus pais e de seus líderes e estão dispostos a lutar por seus sonhos.

Não devemos subestimar a capacidade desses jovens para entender todo o contexto; temos de tirar proveito de suas impressionantes habilidades de trabalhar em múltiplas dimensões simultaneamente e apresentar-lhes todas as informações e possibilidades, assim como as consequências das escolhas que vierem a fazer. Isso representará um desafio mútuo entre as gerações, mas permitirá uma aproximação muito maior do que a que está ocorrendo hoje.

Não acredito que os jovens dessa geração sejam infalíveis; pelo contrário, eles são extremamente vulneráveis, pois não possuem referências suficientes para agir com todas as habilidades que conseguem obter em curto período de tempo. Também não se trata de considerar os constantes questionamentos como uma batalha, uma "luta de espadas". Quando eles nos questionam, não devemos responder com outra pergunta. **Pergunte somente se não houver mesmo entendido** a questão apresentada.

E, principalmente, não especule sobre a vida que o jovem está levando, tendo como base apenas as atitudes que consegue observar.

Diariamente, os noticiários nos apresentam roteiros impressionantes de acontecimentos envolvendo jovens. Grande parte das notícias refere-se a atitudes irresponsáveis e incoerentes. Mencionam acidentes, rachas, festas radicais, brigas e muitas coisas que sugerem uma imagem de completo desapego à vida por parte do jovem.

Recentemente foi divulgada uma notícia inquietante sobre uma jovem que faleceu em uma festa de formatura realizada em um cruzeiro em alto-mar. Imediatamente, a notícia tornou-se mais relevante nos noticiários, que passaram a entrevistar psicólogos e educadores – que sempre têm uma teoria sobre a falta de propósitos desses jovens. Os colegas da jovem rapidamente defendiam o estilo de vida, dizendo ter sido uma fatalidade, pois ela era uma pessoa centrada e completamente feliz. Enquanto isso, os pais da moça sofriam tentando entender o que havia acontecido.

Devemos abandonar nossa postura arrogante e **parar de fazer suposições.** Precisamos reconstruir rapidamente as conexões que estão rompidas com nossos filhos, com nossos funcionários, com nossos alunos.

Questionamentos

- Entender que as questões não estão colocando seus conhecimentos à prova.
- Dar atenção verdadeira.
- Ouvir até o final.
- Dar respostas claras e diretas.
- Questionar somente se não houver entendido a questão apresentada.
- Não fazer suposições.

:: Muitas informações, pouca aplicação

A SEGUNDA COISA que devemos aceitar definitivamente é que a *Geração Y* tem mais habilidade em absorver informações.

Precisamos **acreditar que eles provavelmente terão mais informações, mais habilidades e serão mais atualizados** do que qualquer pessoa de outra geração – com raras exceções. Eles foram estimulados desde a primeira infância por programas de TV, por *videogames* e principalmente pela internet. Assim como os jovens da *Geração X* não conheceram os lares sem energia elétrica, geladeira e televisão, os da *Geração Y* não conseguem conceber o mundo sem computadores, celulares e internet.

Conversando com um grupo de pessoas da *Geração X*, busquei exemplificar a complexidade desse entendimento por parte dos jovens de hoje usando histórias da chegada da geladeira em lares nos anos 1950. Muitos ficaram surpresos e perplexos ao saber que havia cursos para ensinar as donas de casa a usar o novo aparelho. O exemplo mais conhecido eram as reuniões da Tupperware, empresa que desenvolveu diversos utensílios plásticos que auxiliaram nossas mães e avós a guardar corretamente os alimentos na geladeira. Soube que muitos ainda tiveram de ser orientados a não abrir e fechar a geladeira o tempo todo, pois aquela "lâmpada" realmente se apagaria.

A surpresa e a perplexidade da *Geração X* se desfazem quando digo que é muito estranho explicar a um jovem de hoje que seus pais fizeram curso para aprender a "teclar". Alguns, inclusive, somente conseguiram seu primeiro emprego depois de fazer o tal "curso de datilografia" – ou será que deveríamos chamá-lo de "curso de teclagem"?

A *Geração Y* se comunica incessantemente, das mais diversas formas. O estilo de vida, a linguagem que adota, as roupas que usa, assim como o jeito como as usa, são formas de expressão com muito mais informação do que conseguimos decifrar. **Não podemos esperar identificar uma sequência racional e coerente na forma que esses jovens usam para se comunicar**; provavelmente nos faltarão conexões que eles obtiveram em suas experiências, principalmente aquelas que julgamos radicais ou "sem propósito".

Experimentar é um propósito bem comum na *Geração Y*. Mesmo os jovens mais tímidos e reservados gostam da ideia de participar de coisas novas e diferentes. A medida de sua ousadia é que estabelece a dimensão da aventura. Participar de uma "aventura" pode significar receber informações de maneira completamente nova e poder estabelecer seus próprios diferenciais com outros jovens. Por isso, o papel mais adequado para as gerações anteriores é o de estipular propósitos para todas essas experiências às quais os jovens estão dispostos a se submeter.

É famosa a história de Steve Jobs, da Apple Computer, que decidiu participar de aulas de caligrafia durante seu tempo ocioso na universidade. Essas aulas eram ministradas por tradição, e ele jamais imaginou o mínimo propósito para aquele aprendizado, contudo quis viver essa experiência. Alguns anos depois, utilizou todo o conhecimento que adquiriu nas aulas de caligrafia para estabelecer os modelos de letras que seus computadores utilizariam. Criou, com isso, o padrão de fontes gráficas utilizadas até hoje em todos os computadores, inclusive os de outras empresas.

Certamente os professores de caligrafia souberam **dar significado e aplicação** aos ensinamentos que estavam transferindo para aquele jovem. Mas isso não tem acontecido com tanta frequência nos dias atuais. Vejo constantemente empresas proibindo o uso de ferramentas de comunicação em nome da segurança de seus sistemas e de seus processos de trabalho. Pais proíbem filhos de usar a internet e os comunicadores instantâneos com a intenção de discipliná-los.

Devemos **incentivar o uso de ferramentas que permitam à informação fluir** com facilidade. As gerações mais antigas precisam agir de outra forma, com novos referenciais.

Algumas empresas já estão atentas a isso e começam a usufruir desses mecanismos de informação. Diversos departamentos de seleção e recrutamento de pessoal já utilizam os sites de relacionamento como complemento de informações a respeito de candidatos. Outro fato recente é que o trabalho está deixando de ser realizado apenas nos escritórios das empresas; por isso, diversos departamentos de informática têm liberado o uso de comunicadores instantâneos em seus equipamentos.

Os pais que decidem encarar esse desafio e buscam obter "intimidade tecnológica" com as novas ferramentas de comunicação estão obtendo mais sucesso em se aproximar e em entender os filhos. **Eles estão se conectando**.

Informações

- Acreditar que o liderado tem dados mais precisos e atualizados.
- Estar atento às "informações" indiretas que são fornecidas, pois nem sempre os dados aparecem em uma sequência racional e coerente para outras gerações.
- Dar significado e aplicação a essas informações e estabelecer referenciais objetivos.
- Incentivar o uso de ferramentas que permitam que a informação flua com facilidade.

SEIS

AQUI E AGORA

Não penso nunca no futuro porque chega muito rápido.

ALBERT EINSTEIN
(físico)

:: Sonhos

De acordo com a ciência, o sonho é uma experiência de imaginação do inconsciente durante o período de sono. Contudo, essa é uma definição simplificada para os diversos significados dessa experiência. Em muitas culturas e religiões, o sonho reveste-se de dons premonitórios, determinando acontecimentos e influenciando escolhas e decisões de vida. Em outras, é um processo ainda pouco compreendido que permite ao ser humano gerar um mecanismo de compensação para as frustrações pessoais, completamente baseado em realidades alternativas e fantasias.

Sigmund Freud (1856-1939) definiu o conteúdo dos sonhos como "realização dos desejos". Já seu discípulo, o psiquiatra suíço Carl Gustav Jung (1875-1961), propôs uma abordagem mais profunda e abrangente para o papel dos sonhos. Segundo ele, os sonhos não seriam portadores apenas dos desejos ocultos, mas sim uma ferramenta da psique que busca o equilíbrio e auxilia o ser humano no processo de **individuação** – descrito por ele como um processo pelo qual o homem evolui de um estado infantil, de identificação, para um estado de maior diferenciação, o que implica uma ampliação da consciência.

Alguns acontecimentos notáveis demonstram que os sonhos podem ser responsáveis por grandes *insights* e ideias geniais, como no caso de Thomas Edison que, quando desenvolvia o fonógrafo, dormia muito pouco e tinha sonhos curtos – e, em um deles, viu a manivela que seria o diferencial de seu projeto. Ou, ainda, do cantor Paul McCartney, que sonhou com uma melodia e compôs *Yesterday*, um dos maiores clássicos de todos os tempos.

Independentemente da linha de pensamento que se considere mais correta ou adequada, uma coisa em comum emerge de todas essas teorias: sonhar é um processo individual, único e intransferível; ninguém pode compreender a profundidade, a intensidade e as expectativas que cada pessoa deposita em seus próprios sonhos, por isso **nunca**

devemos julgar a validade dos sonhos e desejos de outra pessoa. Nos dias atuais, recebemos inúmeros estímulos que tentam padronizar nossos sonhos em coisas comercializáveis. A publicidade procura "vestir" todo tipo de produto ou serviço que anuncia em embalagens de objetos de desejo, buscando influenciar os sonhos dos consumidores.

Superestimulados pela mídia, os jovens da *Geração Y* tornam-se "reféns" da sociedade de consumo e estabelecem padrões mais elevados para seus próprios sonhos. Sonhar adquire, assim, uma conexão extrema com **metas e objetivos** de vida, levando os jovens a decisões muitas vezes incompreensíveis, simplesmente porque buscam realizar seus sonhos.

Meu filho completou 21 anos recentemente. Desde sua infância, "sonhava" em trabalhar com filmes. Imaginávamos que tentaria ser ator, mas seu foco era justamente a cadeira de diretor. Quando entrou na faculdade, optou por um moderno "curso de curta duração" sobre Comunicação Digital e imediatamente conquistou uma vaga de estagiário no estúdio de produção de aulas televisionadas da universidade. Mostrava-se feliz carregando cabos e montando cenários. Mencionava sempre um famoso diretor de cinema que havia começado dessa mesma forma.

Com o tempo, ele se desenvolveu bastante e deixou o estágio para ser um dos técnicos operadores de câmera. Sua trajetória inicial deixava-me orgulhoso, pois via nele muita responsabilidade com suas atividades.

Antes de completar um ano no estúdio, ele soube de uma importante feira de cinema que aconteceria nos Estados Unidos e decidiu poupar recursos para participar do evento. Mas havia uma dificuldade: o evento duraria dez dias e ele não conseguiria conciliar as férias no estúdio com a participação na feira. Optou, então, por pedir demissão, pois era muito mais importante viver a experiência do evento, no qual poderia fazer novos contatos e ter novas possibilidades, do que garantir a manutenção de seu *status* de técnico. Na época ele me disse que já havia aprendido tudo o que um técnico poderia aprender no estúdio e que a viagem traria novos desafios.

Quando comunicou sua decisão aos gestores do estúdio, foi surpreendido pela recusa deles em aceitar o pedido de demissão. Um diretor da universidade soube do fato e propôs bancar parte dos custos de participação no evento, sem que meu filho necessitasse demitir-se. Determinou, inclusive, que o chefe imediato dele também participasse do evento. Após retornarem da viagem, meu filho foi promovido a um cargo de liderança e começou a participar da coordenação das atividades no estúdio. Novos desafios estavam surgindo.

Com menos de quatro meses na nova função, ele começou a se mobilizar para fazer um curso de cinema fora do Brasil. Passou a economizar parte do salário e considerou que deveria pedir demissão em alguns meses, pois o programa em que se inscrevera consumiria de três a seis meses, afastando-o do estúdio durante esse período. Quando comunicou sua decisão ao diretor da universidade, novamente foi surpreendido com a recusa deste em aceitar a demissão e recebeu uma contraproposta que ampliava seus ganhos até o início do curso fora do país e o colocava na posição de "pesquisador", com todos os custos pagos pela instituição. Dessa vez ele recusou.

Conversando com ele, entendi seus argumentos, mas confesso que não foi simples digerir aquela decisão, pois era uma "oportunidade de ouro" que nenhum jovem na *Geração X* recusaria. Senti insegurança naquela decisão, achei que precisaria exercer o máximo de influência sobre ele para tentar reverter a situação.

Em nossa conversa apresentei todas as vantagens que conseguia observar naquela circunstância. Afirmei que ele estava sendo muito valorizado pela universidade em que trabalhava, e que era um verdadeiro privilégio estar em uma situação tão rara e incomum no mundo corporativo. Usei todos os argumentos que me ocorreram para dar a ele a maior clareza possível para tomar aquela decisão; mas também dei autonomia, afirmando que respeitaria e apoiaria sua decisão final.

Ele pensou durante um dia e depois me comunicou que confirmava a decisão de recusar a proposta e demitir-se. O argumento principal era que, se aceitasse a proposta, certamente estaria vinculando sua energia nos próximos anos àquela universidade e, como já havia economizado recursos suficientes para a realização do curso, não precisava dos benefícios que o diretor estava oferecendo.

Ele sonha em ser diretor de cinema, por isso sua lógica é simples: fazer o curso de cinema contribui para a realização desse sonho; vincular-se a uma instituição que não tem como missão produzir filmes, não.

Percebi que boa parte de **minha insegurança devia-se às comparações que eu fazia entre o sonho dele e os meus próprios sonhos**. Sabemos que o mundo está mudando, mas ainda nos surpreendemos com alguns fatos. Creio que se adotarmos uma nova postura poderemos aprender muito com esses novos comportamentos.

Os jovens da *Geração Y* estão acostumados com as mudanças; aliás, não têm expectativas tão duradouras quanto as gerações anteriores. Seus projetos são de prazos muito menores e imediatos. Eles viram os "projetos de vida" de seus pais e avós se frustrarem, pois estavam suportados por uma satisfação futura, de quando estivessem na idade da aposentadoria. As pessoas das gerações *X* e *baby boomers* diziam: "Quando me aposentar, serei feliz". A premissa se baseava na felicidade alcançada pelo fim das "pressões" do cotidiano e pela ausência de atividades cansativas.

A *Geração Y* não pensa assim; **eles querem ser felizes agora**, não querem esperar chegar à idade da aposentadoria, quando decerto estarão mais limitados fisicamente e terão se acostumado com um estilo de vida e a um padrão de conforto que restringirá suas escolhas. Eles nem precisam imaginar esse futuro, pois observam diariamente seus próprios líderes, pais e avós.

Essa geração sabe que tem grandes desafios pela frente e não quer desperdiçar seu tempo. O senso de urgência dos jovens precisa ser compreendido, pois está completamente **alinhado ao momento de vida** pelo qual eles estão passando.

Devemos considerar um privilégio ter acesso às expectativas da *Geração Y*, pois, na maioria das vezes, o relacionamento está corrompido por pressões e atividades do cotidiano, fazendo-os adotar uma postura silenciosa a respeito desse assunto. Os sonhos desses jovens são frágeis e inconstantes, alteram-se com uma velocidade estupenda, a mesma que observamos no mundo atual. Nada é definitivo por muito tempo. Diversos cursos universitários que formam os profissionais mais requisitados nos dias de hoje não existiam há cinco anos.

Em um vídeo criado por Karl Fisch e Scott McLeod para instituições de ensino americanas, li uma frase bastante significativa: "Devemos preparar jovens para empregos que ainda não existem, para usar tecnologias que ainda não foram inventadas, para resolver problemas que ainda não sabemos que serão problemas".

Nosso papel como líderes formadores dessa geração nunca foi o de tutelar e proteger esses jovens das dificuldades. Quando agimos assim, estamos distorcendo o potencial de crescimento que podem desenvolver. Eles precisam ter a oportunidade de errar e de aprender. A nós, das demais gerações, cabe o papel de **apresentar modelos e referências que irão influenciá-los em suas metas pessoais.**

Expectativas

- Não julgar os sonhos e desejos.
- Evitar comparações com suas próprias expectativas.
- Entender o momento de vida do jovem.
- Auxiliar nas referências para as metas pessoais.

:: Um mundo de ideias

A *Geração Y* é bastante prodigiosa em sua capacidade criativa, apresentando uma infinidade de ideias e propostas para modificar as circunstâncias do mundo à sua volta. É comum encontrarmos gestores que ficam incomodados com a quantidade de sugestões que os jovens apresentam, pois sabem que "no mundo real" as coisas acontecem de maneira bem diferente do que no "mundo das ideias". De alguma forma esses gestores acreditam que seus subordinados não aceitam muito a realidade e querem modificá-la apenas para adequá-la à singularidade de suas vidas, priorizando mais o lazer e o prazer do que os resultados. Essa percepção tem uma lógica válida, mas é preciso avaliar com mais intensidade a linha de raciocínio.

O pensamento moderno formou-se sob a influência do filósofo Aristóteles (384 a.C.-322 a.C.), para quem as ideias se originam na experiência sensível, doutrina que fundou o realismo. Ou seja, nada pode existir se não for possível de ser percebido pelos cinco sentidos humanos. Qualquer coisa que não se enquadra nessa natureza pertence ao "mundo das ideias".

O pensador René Descartes (1596-1650) ampliou ainda mais essa filosofia quando desenvolveu o "Ceticismo Metodológico", que propõe **suspeitar de cada ideia de que se possa ter dúvida**. Descartes institui a dúvida: só se pode dizer que existe aquilo que possa ser provado, sendo o ato de duvidar indubitável. Baseado nisso, ele buscou provar a própria existência, argumentando que "dúvida" é um pensamento e que, se "**penso, logo existo**".

O "método cartesiano" contribuiu muito para a construção de toda a filosofia ocidental, sendo utilizado como base de todo modelo socioeconômico que comanda os relacionamentos nas empresas e nas famílias nos dias atuais. Ele consiste na realização de quatro tarefas básicas:

Verificação • analisar as evidências reais e indubitáveis acerca do fenômeno ou objeto estudado.

Análise • fragmentar ao máximo as coisas em suas unidades de composição fundamentais e estudar as coisas mais simples.

Síntese • reagrupar novamente as unidades estudadas em um todo verdadeiro.

Classificação • pontuar todas as conclusões e princípios utilizados para obter uma estrutura ordenada do pensamento.

Essa filosofia está presente em nossa sociedade há mais de quatrocentos anos e é considerada incontestável, inclusive nos aspectos jurídicos, já que "o benefício da dúvida" comanda os princípios básicos de justiça.

Portanto, nesse cenário, é absolutamente natural que a impulsividade dos jovens para apresentar ideias encontre resistência nos gestores atuais, que lideram baseados no "método cartesiano". Entretanto, isso não significa uma incapacidade de propor mudanças; afinal, todas as gerações sempre apresentaram ideias, não é um privilégio dos jovens de hoje. Devemos admitir, por exemplo, que toda evolução científica e tecnológica deve-se às sugestões de pessoas brilhantes em todas as gerações anteriores.

O principal motivo para o grande número de propostas apresentadas pela *Geração Y* decorre do modelo usado em sua construção, mas para entender isso é preciso considerar alguns fatos. A ampliação do volume de informações que recebem desde o nascimento certamente tem um papel importante na concepção de sugestões, mas esse é apenas um dos fatores e, na verdade, o de menor impacto.

Analisando "ideia" como conceito, devemos primeiro considerar que a palavra deriva do grego *idea* ou *eidea*, cuja raiz etimológica é *eidos*, que significa "imagem". Toda "imagem" é uma projeção da realidade, ou seja, uma abstração, um processo de criação mental, que não dispensa elementos concretos que constituem a formação do raciocínio. Por essa "imagem" podemos visualizar os resultados de determinada decisão ou ação sem recorrer a mecanismos físicos ou de resolução, como acontece em jogos eletrônicos, principalmente os simuladores de realidades virtuais.

Associando o virtual e o abstrato como conceitos gêmeos das "possibilidades" e não da realidade, do futuro e não do presente, identificaremos uma conexão singular. O virtual pode assumir condições tão verdadeiras quanto o real. O virtual não é oposto ao real, é oposto ao **atual**. Como ainda não existe, o virtual é apenas "uma possibilidade de ser", enquanto o atual já é.

Elaborar ideias está diretamente relacionado à construção de pensamentos abstratos, na qual as prioridades estão nas possibilidades. Ter ideias e formar imagens virtuais é usar a **IMAGINAÇÃO**. É natural concluir, então, que a capacidade de abstrair ou imaginar é muito mais estimulada nos jovens da *Geração Y*.

As incontáveis horas que eles dedicam às atividades virtuais, sejam jogos eletrônicos ou avatares e codinomes usados na internet, principalmente em salas de chat e sites de relacionamentos, constroem conexões cognitivas mais amplas e com um "método" completamente diferente, muitas vezes considerado difuso e incoerente.

Isso não invalida os processos mentais das gerações anteriores. Aliás, utilizar o "método cartesiano" para estabelecer padrões de confiabilidade e segurança no "mundo virtual" é extremamente benéfico, sobretudo se for observado o princípio da "dúvida" nos relacionamentos virtuais. Entretanto, a aplicação desse método na avaliação de ideias estabelece limites e restrições à imaginação e à motivação da *Geração Y*.

A melhor postura é sempre **respeitar as propostas**, sem fazer julgamentos prévios, mesmo que não haja coerência ou referências para elas. O mais relevante é avaliar o grau de inovação da ideia e não a forma de apresentação ou construção do raciocínio. E elas sempre trazem alguma inovação. É nesse aspecto que reside o principal fator de resistência à evolução das propostas. Toda inovação é uma transgressão de modelos e padrões estabelecidos e sedimentados. É a ruptura com o atual, a subversão da ordem. **Quanto mais transgressora for a ideia, mais inovadora ela será.**

Muitos gestores e pais buscam a proteção e manutenção de sua realidade, **bloqueando o surgimento de ideias**

por meio de questionamentos prematuros ou apenas adotando uma postura cética quanto aos benefícios e resultados possíveis. Outras vezes, sob a justificativa de "refinar" uma sugestão dada a fim de viabilizar sua implantação, diversos líderes destroem ou adiam inovações importantes, apenas exigindo maiores detalhamentos ou mesmo a formalização da proposta. Aquele conhecido pedido: "Coloque no papel e me apresente".

É justamente em oportunidades como essa que as gerações mais experientes podem potencializar as habilidades dos jovens, **fornecendo mais informações, principalmente as de caráter intuitivo.**

Certa vez, um grupo de trabalho se prontificou a definir o que era intuição. A conclusão apresentada não foi fácil de ser assimilada pois criaram mais um dos conceitos indecifráveis, elaborados com base no "método cartesiano". A conclusão do estudo definiu que intuição é *o processo de apreensão racional não discursiva de um fenômeno ou de uma relação.* Esse tipo de definição não encontra adesão nas novas gerações, pois transmite dados, mas não conhecimento relevante diante do pragmatismo que os jovens precisam exercer constantemente em suas atividades.

Assim, poderíamos pensar em intuição como *a soma de todas as experiências adquiridas e de todas as informações conhecidas por um ser humano, agindo de forma inconsciente e espontânea com o objetivo de facilitar sua evolução e seu desenvolvimento.*

O incômodo gerado pela intensa manifestação de ideias deve ser substituído pelo reconhecimento de uma nova missão para as gerações *X* e *baby boomers*.

Devemos adotar uma postura que reduza os riscos e aproveite melhor os benefícios das novas ideias. Para isso, as gerações mais experientes precisam disponibilizar aos jovens sua intuição e não seus questionamentos, seus temores e suas resistências.

Ideias

- Respeitar todas as ideias.
- Avaliar o grau de inovação; quanto mais transgressora, melhor.
- Nunca tentar "destruir" as ideias apresentando apenas os obstáculos.
- Fornecer mais informações que possam ajudá-lo a avaliar as ideias apresentadas.

:: Foco em resultados

TODA GRANDE EMPRESA tem na área de contabilidade seus mais determinados e focados funcionários. Normalmente selecionam para trabalhar com atividades dessa natureza pessoas introspectivas, estruturadas, organizadas, atentas às regras, de reconhecida capacidade de focar em detalhes e extremamente disciplinadas.

O maior desafio de quem trabalha no departamento de contabilidade é reunir todas as informações financeiras da empresa durante o ano e consolidá-las no balanço geral. Contudo, as complexidades contábeis e tributárias criam diversos obstáculos e dificultam a finalização dos trabalhos em um tempo curto. Normalmente um balanço precisa de pelo menos dois meses para ser corretamente "fechado" após o final do ano.

Certa vez, um jovem chefe do departamento, contador de uma grande empresa, propôs a toda sua equipe um empenho extraordinário para que naquele ano o balanço estivesse fechado em apenas quinze dias. Não era um desafio simples, pois seria preciso considerar muitas variáveis e mobilizar diversos departamentos para fornecer a tempo todas as informações. Seriam necessárias muitas negociações internas para que naquele ano o balanço fosse fechado rapidamente e sem erros.

Houve um grande empenho daquele contador e de toda sua equipe. Usaram métodos inovadores, simplificaram rotinas, flexibilizaram algumas regras, informatizaram todos os procedimentos possíveis; enfim, mudaram completamente a estrutura contábil da empresa para atingir aquela meta desafiadora. O esforço foi magnífico e, para alegria de todos naquela equipe, conseguiram finalizar o balanço em menos de dez dias.

O jovem contador estava tão exultante que marcou um horário com o presidente da empresa para apresentar o balanço final. Chegou à sala do presidente e, sem esperar que ele se levantasse da cadeira, falou com voz firme: "Presidente, fechamos os balanço em menos de dez dias. É um recorde!". O presidente ficou empolgado com o entusiasmo de seu contador. Enquanto recebia o balanço, cumprimentou o empenho dele e de sua equipe.

O sorriso do contador ainda estava estampado em seu rosto quando o presidente ficou sério e questionou: "Mas este balanço mostra que tivemos prejuízo!". O contador confirmou: "É verdade, mas este é SEU problema. O MEU era fechar o balanço no prazo".

Independentemente das consequências desse episódio, podemos concluir que havia conceitos distorcidos para aquele jovem contador – que estava trabalhando intensamente com foco nos resultados, mas nos **resultados errados**.

Nos últimos anos, os líderes têm sido estimulados a estudar e entender conceitos de **estratégia** e **visão sistêmica** para que possam conduzir suas equipes a ações com "foco em resultados". Contudo, eles não têm obtido muito sucesso em implantar esses conceitos no cotidiano.

Já vi muitos líderes indignados com a arrogância e o desapego de suas equipes aos projetos. Dizem que os jovens de hoje não "vestem a camisa da empresa", não se interessam pela carreira. Querem apenas crescer rapidamente e ganhar muito dinheiro. Além disso, o cenário fica ainda mais complexo quando encontramos empresas fragmentadas, com gestores exercendo sua autoridade em "feudos departamentais" enquanto funcionários se protegem das consequências e dos inevitáveis conflitos corporativos por meio da omissão.

Vivemos em um tempo de profundas transformações. Os modelos de gestão estabelecidos no século passado estão **perdendo a eficácia**, principalmente por causa das novas gerações, que reagem de maneira diferente às premissas de liderança sedimentadas nos gestores atuais.

A total intimidade que a *Geração Y* tem com as novas tecnologias promove circunstâncias diferentes quando seus jovens são liderados. Eles sabem que adquirem com mais facilidade as novas habilidades e informações; daí a percepção de uma atitude sempre arrogante.

Sabemos, porém, que esse "talento" é frágil se não estiver associado à experiência e a um direcionamento baseado em valores e significados. A *Geração Y* é a primeira que se desenvolve com absoluto "**foco em resultados**", estimulada principalmente pela influência marcante que os *videogames* promoveram em sua educação.

Portanto, ao liderarmos esses jovens, devemos **demonstrar claramente qual é o resultado a ser alcançado**, estabelecendo indicadores confiáveis que permitam superar o "desafio correto". Caso contrário, teremos muita energia direcionada para "resultados errados", como aconteceu com o contador.

Outro fator que precisa ser considerado é a diferença de desempenho de cada jovem. As gerações *X* e *baby boomers* viveram em um tempo de ruptura social, quando as lutas pelos direitos e pelos princípios constitucionais promoveram a valorização do senso de igualdade entre as pessoas. Essa igualdade foi absorvida como princípio de educação nas famílias, tanto que muitos pais se sentem culpados quando são flagrados privilegiando um filho em relação a outro, procurando demonstrar sempre que estão tratando todos de forma equivalente, inclusive ao estabelecer metas e recompensas.

Nas empresas esse modelo adquiriu proporções maiores: gestores trabalham para nivelar seus subordinados pela média, buscando obter autoridade por meio de uma pretensa atitude de justiça. Na prática, o que ocorre é o nivelamento pela mediocridade. A *Geração Y* não reage da mesma forma que as gerações anteriores. Os jovens de hoje são muito mais individualistas e, como sabem que apresentam resultados diferentes entre si, fazem questão de **ser avaliados de forma diferenciada**.

Isso não invalida a comparação entre eles. Podemos estabelecer desempenhos individuais dentro de equipes e apresentar um *ranking* comparativo; isso é ótimo para a competitividade. Contudo, a *Geração Y* dará **prioridade à comparação com a própria evolução pessoal.** Antes de considerar os resultados de outras pessoas, eles sempre compararão os próprios resultados em momentos diferentes.

Resultados

- Admitir que são mais hábeis e mais focados em resultados.
- Direcionar para os resultados corretos.
- Estabelecer referências com resultados anteriores.
- Ser coerente e justo na avaliação do liderado, principalmente quando comparado aos demais.

:: Reconhecimento como prioridade

A *Geração Y* cresce em uma era de gratificação instantânea, na qual todos os recursos são voltados para a apresentação de um painel de resultados. O jovem de hoje é extremamente pressionado a apresentar conquistas alcançadas em suas escolhas. Seus pais e professores mantiveram desde cedo uma educação baseada em recompensas e punições para os resultados, o que levou à necessidade de um *feedback* constante.

As milhares de horas gastas em jogos eletrônicos também contribuíram, formando jovens que associam suas realizações diretamente a resultados e apresentam uma atitude de impaciência com qualquer coisa que não atenda ao desejo de satisfação imediata com o próprio desempenho.

As expectativas dos jovens da *Geração Y* são bem diferentes. Eles esperam que lhes digam como estão indo com muito mais frequência. Querem saber se têm possibilidade de alcançar mais resultados, pois caso contrário irão "abandonar o jogo" e partir para outro desafio.

Esse comportamento está chegando com muita força aos relacionamentos familiares e corporativos nos dias de hoje, provocando perplexidade em pais e líderes – que consideram a atitude dos jovens "falta de comprometimento" com as coisas. É importante refletir sobre essas questões de forma diferente. A motivação da *Geração Y* segue um padrão mais complexo e muito mais sutil.

Por muito tempo se associou a motivação pessoal às recompensas, atribuindo toda energia e foco pessoal a um "pacote financeiro" que tivesse condições de mobilizar o indivíduo em determinada direção. Isso já não é uma verdade absoluta. Outros fatores passaram a ter maior relevância para a motivação das pessoas e agora estão obtendo destaque na *Geração Y*.

Os novos fatores são:

Relacionamento com o líder • Independentemente da frequência com que o jovem se encontre com seu líder, a qualidade do relacionamento interfere diretamente em sua dedicação às atividades. Quando recebe dele direcionamentos e referenciais que contribuem para seus próprios resultados, em vez de recriminações e punições, o jovem estabelece uma ligação muito mais profunda com os objetivos apresentados pelo líder e direciona sua energia para demonstrar que é merecedor do aprendizado. Por outro lado, se ele estabelece uma relação distante e omissa, corre o risco de ver suas expectativas frustradas, pois o jovem adota uma atitude negativa e de certa forma "sabotadora" e acaba restringindo-se às orientações literais, esperando que algo de errado aconteça para poder se isentar dos resultados negativos, responsabilizando exatamente o líder.

Desenvolvimento pessoal • Todo jovem quer crescer, evoluir, usufruir de suas conquistas. O ato de "abandonar o jogo" quando não percebe mais possibilidades de resultados não significa que o jovem está desistindo ou desprezando o projeto, mas sim que ele não percebe mais desafios que promovam o crescimento individual.

A *Geração Y* é motivada por desafios que promovam o próprio crescimento. Quando não identifica essa possibilidade, rapidamente se mobiliza na direção de outros desafios. As empresas estão notando isso quando veem que a rotatividade de seus funcionários está crescendo de forma mais acentuada. A simples troca de emprego já não está associada apenas a benefícios financeiros, e sim à "falta de desafios" coerentes para as expectativas dos jovens.

Não há mais uma relação de fidelidade "até a aposentadoria". Os jovens sabem que, para continuar competitivos, precisam ter muitas experiências diferentes, que só são alcançadas superando desafios cada vez maiores.

Ambiente • O lugar onde as experiências são desenvolvidas é extremamente importante para esses jovens que, diferentemente dos de outras gerações, não estabelecem prioridades para o ambiente físico, normalmente muito mais despojado. Seu foco principal está no relacionamento com outros participantes do desafio.

Cabe ao líder proporcionar um clima de trabalho harmônico, flexível e favorável às experiências coletivas, contribuindo significativamente para a motivação de suas equipes. A omissão ou mesmo minimização dos efeitos de relacionamentos negativos favorece o surgimento de "compensações" informais, com o jovem concentrando suas energias em atividades desconectadas de suas metas.

É preciso substituir os atuais modelos baseados em **produção** e **processos** – que buscam incessantemente maior produtividade com menor custo – por modelos baseados em **relacionamentos** e **resultados**. Para isso, temos de nos desprender das premissas de autoridade e poder que conhecemos e adotar uma postura de aprendizes, buscando um novo modelo de desenvolvimento pessoal baseado nos novos instrumentos que a tecnologia atual proporciona.

Reconhecimento

- Cuidar do relacionamento com o liderado, priorizando referências e valores.
- Oferecer desafios que promovam o crescimento individual.
- Proporcionar um clima de trabalho harmônico, flexível e "favorável às experiências" coletivas.

:: Razões para desconexão

Há alguns anos, presenciei uma cena muito interessante quando um pai levou seu filho de pouco mais de 4 anos a uma enorme loja de brinquedos. Aparentemente, aquela era a primeira visita da criança a uma loja tão grande. Em um primeiro momento, ele ficou imóvel na porta da loja e, apesar dos apelos de seu pai para entrar, permanecia estático, apenas olhando para tudo. De repente, sem qualquer explicação, o menino começou a gritar alucinadamente. Não conseguia conter-se, estava literalmente "explodindo" de alegria. A euforia tinha como causa evidente a imensa variedade de brinquedos. Ele queria e precisava brincar com todos. Não conseguia focar sua atenção em nenhum. Todos eram interessantes, e como não podia resolver essa complexa situação só conseguia gritar alucinadamente.

De alguma forma, os jovens da *Geração Y* têm muitas semelhanças com essa criança. Possuem acesso a uma imensidão de coisas interessantes e temem não conseguir alcançar tudo. Para tentar resolver essa complexa equação, tornam-se ansiosos, impacientes e intensos em todas as suas experiências; e muitas vezes arrogantes em suas escolhas.

Entretanto, essas atitudes não são suficientes para amenizar a constante insegurança que observamos nos jovens da *Geração Y*, que relutam em tomar decisões de longo prazo.

A preocupação faz sentido se notarmos que as coisas estão ficando cada vez mais transitórias. O jovem se preocupa em tomar uma decisão que não possa ser anulada no futuro. Imagine aquela criança ouvindo do pai que poderia escolher o brinquedo que quisesse desde que fosse apenas um. Como ele teria a segurança de estar fazendo a melhor escolha?

A saída que os jovens estão encontrando é assumir que as coisas ficarão obsoletas rapidamente; é "parte do jogo" e resta, para agora, focar suas escolhas totalmente nos relacionamentos.

As demais gerações precisam identificar nas atitudes dos jovens as oportunidades para se conectar e estabelecer relacionamentos mais positivos que permitam a transferência de valores e significados. Estamos na era das conexões, por isso precisamos flexibilizar nossos conceitos e buscar uma rápida adaptação ao novo cenário.

Observamos algumas características marcantes nas atitudes dos jovens da *Geração Y* e concluímos que devemos enxergá-las como "ações positivas". Para isso, é necessário que as demais gerações:

1 • **Considerem** que os **questionamentos** são formas de integração, não desafios ao conhecimento.

2 • **Aceitem** que eles possuem mais e melhores **informações** ou, pelo menos, têm mais habilidades em alcançá-las.

3 • **Valorizem** as **expectativas** e **ideias** que eles apresentam, sem preconceitos.

Essas ações formam uma Matriz de Relacionamento bastante útil ao posicionamento mais adequado de pais e gestores, pois é nelas que acontecem as principais oportunidades de conexão com a *Geração Y*.

Obter e exercitar esse entendimento facilita extremamente a ação educativa desses jovens e permite o surgimento de cenários de relacionamentos entre as gerações que facilitam o fluxo de orientação e a transferência de valores de vida.

Essa matriz não contempla toda a diversidade de relacionamentos com os jovens. Devemos também considerar as possíveis reações negativas, motivadas pela não compreensão das singularidades de comportamento da *Geração Y*.

Matriz de Relacionamento

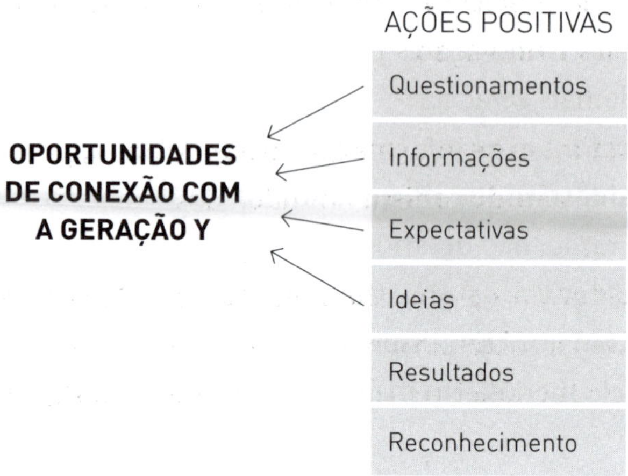

As “ações negativas” perante as atitudes são mais frequentes e têm provocado uma ruptura nos relacionamentos, resultando em profundos desentendimentos e conflitos.

Muitos pais, professores e gestores provocam a desconexão quando:

1 • **Omitem-se no reconhecimento** do esforço dos jovens, “gritando” as críticas e “sussurrando” os possíveis elogios, provocando neles **indignação** e arrependimento em depositar muita energia nos projetos.

2 • **Negligenciam os resultados** alcançados, frustrando qualquer oportunidade de celebração.

3 • **Menosprezam as novas ideias e as expectativas,** apresentando obstáculos e impedimentos que **desmotivam qualquer inovação.**

4 • **Subestimam as informações e habilidades,** provocando uma **atitude omissa** nos liderados.

5 • **Consideram os questionamentos um desafio** à sua autoridade, obtendo a mais negativa atitude que um jovem pode estabelecer com outra geração: a **indiferença.**

Matriz de Relacionamento

AÇÕES NEGATIVAS		REAÇÕES NEGATIVAS		
Reconhecimento	⟷	Indignação	↘	
Resultados	⟷	Frustração	↘	
Ideias	⟷	Desmotivação	→	**RAZÕES PARA DESCONEXÃO COM A GERAÇÃO Y**
Expectativas	⟷	Indisposição	↗	
Informações	⟷	Omissão	↗	
Questionamentos	⟷	Indiferença	↗	

SETE

DAR UM SIGNIFICADO

Existem apenas duas maneiras de ver a vida.
Uma é pensar que não existem milagres e a outra é
pensar que tudo é um milagre.

ALBERT EINSTEIN
(físico)

:: Atitudes

As empresas estão procurando profissionais com iniciativa, que sejam jovens, empreendedores e autônomos. Contudo, na prática, elas têm se mostrado despreparadas para receber esses profissionais.

Se observarmos as principais características encontradas em candidatos de programas de "*trainees* gerenciais", descobriremos jovens que: falam mais de um idioma, sendo o inglês fluente; possuem um elevado nível educacional, inclusive com especialização; são solteiros e pensam em ter apenas um filho, se vierem a se casar no futuro; mantêm uma excelente rede de relacionamentos distribuída por todo o planeta, inclusive em empresas concorrentes.

E não para por aí. Eles gostam e valorizam experiências internacionais, pois não estabelecem vínculos profundos com seu país de origem e curtem artes, esportes e leitura, mesmo que de forma superficial. Também apresentam com orgulho suas conquistas e querem ser reconhecidos por seus resultados, mas não se preocupam demasiadamente com as hierarquias, chegando muitas vezes a desprezar a "cadeia de comando". Além disso, possuem total intimidade com as novas tecnologias, querem construir carreiras brilhantes, com altos salários, e adoram os *headhunters*, pois representam a possibilidade de novas oportunidades, principalmente em grandes empresas.

Não é de admirar que os gestores, em sua maioria, sejam resistentes quando se relacionam com esses jovens. A possibilidade de a *Geração Y* possuir muito mais habilidades é enorme, e isso provoca uma reação dos líderes, que se sentem ameaçados por toda essa competência.

Mas essa situação teve sua origem nas próprias expectativas dos pais e nas exigências das empresas e de seus gestores. Durante os últimos anos, pais se empenharam em habilitar os filhos, criando diferenciais que pudessem posicioná-los de forma vantajosa perante outros profissionais. Da mesma maneira, gestores buscaram formar times que tivessem a melhor qualificação, para garantir seus próprios resultados.

Recentemente, um grupo de recrutadores apresentou os principais requisitos que um candidato a uma posição gerencial deveria ter. Evidentemente, eles estavam procurando profissionais que atendessem às exigências dos gestores que haviam solicitado o recrutamento.

Foram listadas onze características:

1 • Visão estratégica e sistêmica.
2 • Sintonia com os clientes.
3 • Competência técnica e estratégica.
4 • Negociação.
5 • Valores pessoais.
6 • Sintonia com a missão e os valores organizacionais.
7 • Orientação para resultados.
8 • Liderança.
9 • Espírito de equipe.
10 • Ação.
11 • Motivação/energia.

E enquanto os gestores estão procurando um verdadeiro "superprofissional" os pais querem fazer de seus filhos jovens superdotados que possam preencher essas vagas. Isso não é negativo. Na verdade, é ótimo que se busque qualificar os jovens cada vez mais. O que torna o atual momento vulnerável é o direcionamento que está sendo dado a esses jovens.

A *Geração Y* possui muitas características marcantes e interessantes, mas ela precisa aprender a lidar com seus talentos e habilidades. As empresas buscam um profissional competente, mas muitas vezes esquecem que seus próprios gestores possuem um papel decisivo na formação dessa pessoa. A omissão ou o comprometimento deles é que determinará o caminho que os jovens profissionais tomarão em seu desenvolvimento.

Imagine o caso de dois jovens que acabaram de conquistar seu primeiro emprego. Ambos possuem um conjunto de conhecimentos e habilidades equivalentes e serão **novatos** em suas respectivas áreas de atuação. O **jovem 1** é muito curioso e gosta de adquirir novos conhecimentos técnicos. Preocupa-se com sua formação acadêmica, sendo bastante disciplinado para estudar, e sempre que surge uma oportunidade se inscreve em treinamentos e simulações para melhorar seu desempenho. Com o tempo, ele vai se tornando bastante **habilidoso**.

O **jovem 2** é muito esforçado e acredita que é praticando que aprenderá a lidar com as circunstâncias. Valoriza cada desafio que recebe e sempre avalia suas falhas e erros, quando eventualmente ocorrem. Confia em sua capacidade de gerar resultados e demonstra segurança em praticamente todas as situações, pois sabe que as experiências são formadas de conquistas e derrotas. Com o tempo, torna-se muito **experiente**.

Encontramos ambos os jovens com muita facilidade nas organizações. Contudo, apesar de possuírem muitas características interessantes e esperadas pelos gestores, nenhum dos dois atinge o nível de competência esperado pela empresa.

Desenvolvimento da Geração Y

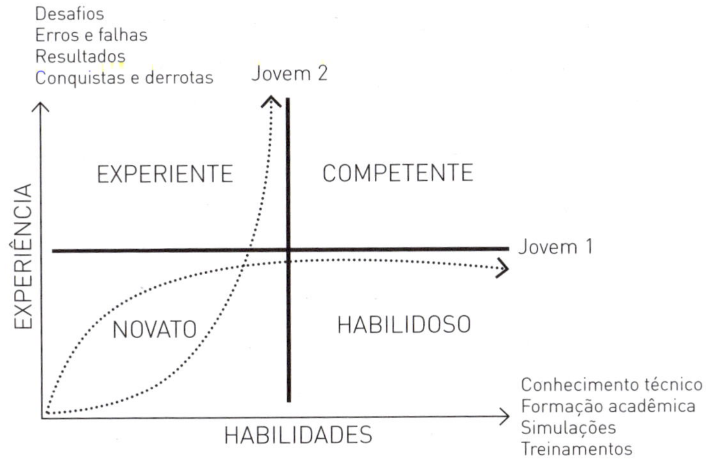

O grande desafio das organizações é alterar esse modelo de desenvolvimento. A melhor solução é flexibilizar os modelos, permitindo que todas as gerações possam utilizar o que têm de melhor – experiência ou habilidades – para se complementar.

Podemos considerar que as gerações mais antigas deveriam disponibilizar toda a experiência conquistada, dando aos jovens referenciais de escolhas e decisões, enquanto recebem da *Geração Y* toda energia e conhecimento sobre as novas tecnologias.

Desenvolvimento da Geração Y

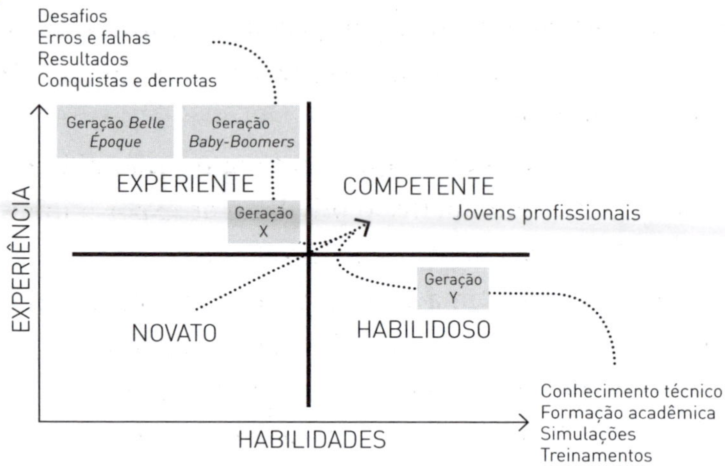

: : Escolhas

Todas as manhãs sonhos são interrompidos. A busca da sobrevivência move as pessoas em direção às suas escolhas. Alguns lutam para sair da cama, enquanto muitos outros já estão se espremendo em ônibus e lotações cheios de corpos cansados e sonolentos. E há ainda os que tentam chegar a seus locais de trabalho sob a ilusão de serem especiais por estarem em confortáveis automóveis, parados em avenidas lotadas e barulhentas.

Desde muito cedo, acreditei e empenhei minhas energias para não ser apenas mais um trabalhador que "vai levando a vida". Sempre dediquei muito tempo para entender e sustentar as escolhas que fiz e ainda farei durante minha jornada neste mundo. Com essa pretensão, procurei sempre observar todos que, por qualquer que fosse o motivo, se aproximassem de mim ou estivessem sob a influência de minhas decisões.

Na busca de estar sempre em uma posição diferenciada do lugar-comum, tive o privilégio de expor minhas habilidades ainda muito jovem. Isso abasteceu minha também jovem autoestima com a aura de garoto precoce quando comecei a receber desafios cada vez maiores e mais complexos, dando sustentação ao meu desejo de atribuir significados relevantes o suficiente para tornar cada experiência marcante e merecedora de celebração.

Tornei-me, assim, um genuíno portador e defensor do espírito positivo – uma filosofia que atribui grande importância às questões intelectuais e racionais sem desprezar a intuição e os sentimentos alcançados na subjetividade das ações práticas.

Evidentemente, isso não me protege de deslizes e escolhas equivocadas; pelo contrário, minhas limitações constantemente se manifestam – algumas vezes em reais circunstâncias, outras em situações imaginárias.

Manter como premissa básica olhar para todas as possibilidades em cada realidade me permitiu desenvolver o sentimento de estar sempre participando de um grande projeto. De fato, tenho participado de muitos projetos fantásticos, ricos em diversidade. Tenho de ser muito grato a Deus.

Claro que isso fica ótimo quando escrito em poucas folhas para ser lido por pessoas que talvez nunca venham a me conhecer. Mas o fato é que acredito muito na influência que as circunstâncias exercem sobre cada ser humano, e com certeza nossa atitude é absolutamente determinante para o desfecho, positivo ou negativo, de cada situação em que nos envolvemos.

Recordo uma história que ouvi há algum tempo sobre a experiência que dois velhinhos tiveram de enfrentar. Eles eram amigos inseparáveis. Cada um teve a oportunidade de constituir um lar com todo tipo de experiências que temos em uma típica família moderna, ou seja, nascimentos, frustrações, casamentos, formaturas, brigas, aniversários e tantas outras.

Na vida, ambos trabalharam muito e sustentaram com muita dignidade suas famílias. Como prêmio de reconhecimento por todo o esforço, seus familiares decidiram presentear cada um deles com um plano de viagens a lugares inesquecíveis.

O roteiro de viagem foi montado pelos velhinhos, uma vez que os dois sempre manifestaram o desejo de conhecer os mesmos lugares e consideraram que esse sonho teria um significado especial se estivessem juntos, conversando intensamente sobre as impressões de cada lugar visitado.

É certo que o projeto exigiu deles e das famílias muita disciplina financeira. Muitas escolhas foram feitas considerando esse plano. Foi realmente um grande projeto.

Na partida para a primeira de várias viagens, todos estavam muito ansiosos, contentes e orgulhosos de ter contribuído para esse grande momento. Os dois velhinhos estavam eufóricos no aeroporto. Certamente alguns anos seriam acrescentados à vida de ambos, tais eram as expectativas por alegrias que aquelas viagens proporcionariam.

Mas, logo após a decolagem, algo inesperado aconteceu. O avião teve uma pane e caiu numa fazenda a alguns quilômetros do aeroporto. O acidente foi terrível. Pânico e terror tomaram conta de todo o aeroporto. As famílias dos velhinhos ficaram incrivelmente abatidas com as primeiras notícias que chegavam do local do desastre. Demorou muito tempo até que os familiares soubessem que os dois tinham sido os únicos sobreviventes das dezenas de passageiros naquele avião.

Já no hospital, o sentimento de todos misturava a tristeza com a perplexidade pela tragédia com a alegria de ver que eles estavam bem – apenas com pequenos ferimentos – e a certeza de que tinham recebido de presente a chance de continuar vivendo.

Quando eles saíram do hospital, de volta para suas casas, as famílias decidiram celebrar o acontecimento juntas em uma festa, e não demorou muito para pedirem um breve discurso a cada um dos velhinhos.

O primeiro se levantou e agradeceu profundamente a todos e a Deus pelo supremo presente de poder estar com seus familiares por mais tempo. Levantou seu copo e brindou a ocasião, dizendo: "Nunca mais viajo de avião, não quero passar pela experiência de cair novamente. Quero aproveitar a vida".

Após aplausos emocionados e muitos gritos de alegria, foi a vez de o segundo velhinho se levantar para seu discurso. Ele, também muito emocionado pelo momento, brindou dizendo: "Agora, só viajo de avião. Nunca mais vou passar pela experiência de cair novamente. Quero aproveitar a vida".

Demorou um pouco para que todos os presentes absorvessem o impacto daquela frase com um tom tão transgressor. Evidentemente, alguns podem julgar a história e atribuir ao primeiro velhinho um pensamento responsável e coberto de razões justificáveis e ao segundo velhinho uma lógica insana e irresponsável, talvez até fruto de alguma sequela do acidente, algo bem semelhante às percepções que temos de algumas atitudes de jovens da *Geração Y*.

Avaliando com mais profundidade, porém, não há como dimensionar qual escolha é a melhor ou a mais adequada, pois cada um deles atribuiu um **significado diferente** à terrível experiência. O inquestionável é que a escolha do segundo velhinho sustentou completamente a ideia original de dar continuidade ao grande projeto, buscando ser merecedor de todos os esforços que seus familiares dispensaram para aquele sonho.

Talvez alguém da *Geração Y* pense: "Afinal, quais são as reais chances estatísticas de alguém sofrer dois acidentes aéreos?". Assumir uma atitude positiva diante de fatos que nos acontecem permite que façamos escolhas mais direcionadas aos nossos sonhos e metas, além de sustentar os significados que atribuímos a cada um deles.

São os significados que fornecem os motivos para sermos proativos perante as mais diversas circunstâncias. Devemos mudar nossa atitude diante de todas essas novas situações e assumir definitivamente o nosso papel de **formadores das próximas gerações.**

A questão final não está em descobrir o que a *Geração Y* quer, e sim ajudá-los a responder "para que" querem. Precisamos nos esforçar para entender os objetivos que esses jovens dão às suas vidas e disponibilizar toda experiência e intuição para que eles deem significados às suas escolhas.

A *Geração Y* precisa de nossa atitude, de nossa experiência, de nossa intuição e de nossa paciência. Afinal, eles estão sendo preparados para **assumir empregos que ainda não existem, usando tecnologias que ainda não foram inventadas, para resolver problemas que ainda não sabemos que são problemas.**

BIBLIOGRAFIA

ARGYRIS, C.; SCHON, D. *Organizational learning*: a theory of action perspective. Reading, Mass.: Addison-Wesley, 1978.

CIA. DE TALENTOS. Pesquisa – *Empresa dos Sonhos dos Jovens*, 2009. Disponível em: <http://www.ciadetalentos.com.br>.

DEAL, Jennifer J. *Retiring the generation gap*: how employees young and old can find common ground. Jossey-Bass, 2007.

E.LIFE. Pesquisa – *Hábitos de uso e comportamento dos internautas brasileiros em mídias sociais*, 2009. Disponível em: <http://www.elife.com.br>.

FIELDS, Bea; WILDER, Scott; BUNCH, Jim; NEWBOLD, Rob. *Millenial leaders*. Mundelein, Illinois: Writers of the Round Table Press, 2008.

GOLGHER, André Braz; MARQUES, Denise Helena França. *A migração urbano/urbano, rural/urbano, urbano/rural e rural/rural no Brasil:* a busca de padrões e de diferenças. In: XV Encontro Nacional de Estudos Populacionais, Abep. Caxambu, MG, 2006.

GRAVETT, Linda; THROCKMORTON, Robin. *Bridging the generation gap*: how to get Radio Babies, Boomers, Gen Xers, and Gen Yers to work together and achieve more. New Jersey: Career Press, 2007.

HICKS, Rick; HICKS, Kathy. *Boomers, X-ers, and other strangers*: understanding the generational differences that divide us. Carol Stream, Illinois: Tyndale House, 2007.

HOWE, Neil; STRAUSS, William; MATSON, R. J. *Millennials rising*: the next great generation. New York: Vintage, 200.

HUNTLEY, Rebecca. *The world according to Y*: inside the new adult generation. Sydney: Allen and Unwin, 2008.

MAILER, Norman; MAILER, John Buffalo. *O grande vazio*. São Paulo: Companhia das Letras, 2007.

NEILSEN, David. Como funcionam os *Baby Boomers*. *HowStuff-Works*. Traduzido por HowStuffWorks Brasil, 01 jun. 2007. Disponível em: <http://pessoas.hsw.uol.com.br/baby-boomers1.htm>.

STRAUSS, William; HOWE, Neil. *Generations*. New York: Harper Perennial, 1992.

TWENGE, Jean M. *Generation me*: why today's young Americans are more confident, assertive, entitled – and more miserable than ever before. New York: Free Press, 2008.